出版説明

姜宸英（一六二八—一六九九），字西溟，號湛園，又號葦間，浙江慈溪人，清康熙三十六年（一六九七）丁丑科探花。他是清代前期著名的古文家、史學家和書法家，「以古文辭馳譽江表，書法亦通神」（朱彝尊），被譽爲「本朝古文一作手」。預修《明史》，預纂《大清一統志》，《清史稿》有傳。著有《湛園未定稿》《西溟文鈔》《湛園藏稿》《葦間詩集》《葦間詩稿》《湛園札記》《湛園題跋》等詩文集多種，後人編有《姜先生全集》三十三卷。

《湛園題跋》一卷，主要收録姜宸英對名碑名帖的題跋，涉及風格評論、書學傳承、訪購碑帖等多個主題。姜宸英「書法遒秀絶倫，能窺鍾、王門户，於唐宋諸家亦靡不臨摹殆遍」（陶元藻），有人甚至譽他「書格爲本朝第一」（梁同書）。他收藏的「兩面《蘭亭》」，曾引起廣泛的討論，在《蘭亭》學史上占有一席之地。他的書法見解，無疑值得今人重視。比如：他重視行草書的法度，認爲「雖則是草，不可縱筆，故晋魏人多用章草入行，後來率意作書，古法遂不可復見」；也重視晉人書法的意度，「臨二王書須略得晉人幾分筆意，正以蘊藉爲宗。若專務險勁，但論氣質，便似唐人效劉義慶作《世説》語，雖詞條豐蔚，終難合也」。《題跋》裏的姜宸英，遇名跡，「時時展對，如見典型」，臨法帖，「紙窗西照，執筆欣然」，一種醉心古典藝術的文人本色，躍然紙上。

《湛園札記》是一册記録其作者姜宸英讀書心得的小書。札記體裁源遠流長，宋代的《夢溪筆談》《容齋隨筆》肇其端，至清代而大盛，著名的如《日知録》《十駕齋養新録》《讀書雜志》等，皆是學者案頭必不可少的參考資料。梁啟超在《清代學術概論》中論及清代「學者社會之狀況」時説：「大抵當時好學之士，每人必置一『札記册子』，每讀書有心得則記焉。」當時學者，最戒輕率著書，往往將札記作爲著述的預備材料，而札記本身之中每每即有精到之研究。因此梁啟超認爲：「札記實爲治此學者所最必要，而欲知清儒治學次第及其得力處，固當於此求之。」

《湛園札記》共四卷，主要内容圍繞三禮、《左傳》、正史、杜詩，既有純粹的摘抄，也有稍作辨證評議的地方。純粹的摘抄，如「東漢同舉者謂之同歲，見《李固傳》」，「端陽前五日俱可稱端，文山以五月初二日生，稱此日爲端二」，「今元宵前後兒童持繩之戲

藝　文　叢　刊

湛園題跋
湛園札記

〔清〕姜宸英　著

方　田　點校

圖書在版編目（ＣＩＰ）數據

湛園題跋；湛園札記/（清）姜宸英著;方田點校.
--杭州：浙江人民美術出版社，2023.2
（藝文叢刊）
ISBN 978-7-5340-9833-8

Ⅰ.①湛…　Ⅱ.①姜…　②方…　Ⅲ.①書法理論-中國-清代②史學-中國-文集　Ⅳ.①J292.11②K207-53

中國版本圖書館CIP數據核字(2022)第253173號

無處不然，皆齊高（北齊幼主高恒）餘習也」，皆可視爲知識性的筆記。有的札記，則對古今風俗名物、語言變化，作出簡要的考證。如「糝食」即「今俗蒸餅用菜爲餡」者，「沂鄂」即「器（物的）稜角」，「人身左右亦得稱厢」，「吾鄉（慈谿）以吴人蠶豆爲豌豆，而以吴人所謂寒豆者謂之蠶豆」。

《札記》中有相當一部分内容與三《禮》，特别是《周禮》有關。正如張舜徽先生指出的：「宸英在清初，固以經學名於時。集中文字，亦數數以治經爲亟，可以覘其學養也。」姜宸英十分推崇《周禮》，《札記》中對《周禮》的職官設置、軍政調度、地方管理、祭祀制度等，皆有見解發明，言之有據，符合情理，遇到有疑問的地方，也如實記録，不强作解人。他似乎認爲，後世政治之所以有種種弊病，皆因不明《周禮》之深意，没有採取恰當的理政措施，有時更是直接借古諷今，抨擊時弊。如辨證《周禮》的基層教育制度，批評清代地方不尊重縣學老師，「今之郡縣教官，其於教育人才之責至重，而反下同於抱關擊柝，何其輕於視教耶」。

史評史論也是《札記》值得重視的地方，有的見解新穎，發人深省。比如，他批評被秦始皇所坑之儒，皆抱殘守缺的迂腐之輩。

總的來説，《札記》顯示出姜宸英原本經史的治學宗旨，反映了他扎實的治學根柢，爲學須有益於國事的經世致用思想，貫穿始終。

本次合刊《湛園題跋》、《湛園札記》二書爲「藝文叢刊」之一種，深得西勝兄關心鼓勵，謹志謝忱。二書皆以浙江古籍出版社二〇一六年出版的《姜宸英全集》爲藍本，錯訛之處，敬祈方家批評指正。

目録

湛園題跋

題樂毅論……三
跋祝枝山書……三
題祝京兆千字文……四
臨宋儋書題後……四
臨樂毅論題後……五
董臨澄清堂帖跋……五
跋遺教經……五
臨帖後書……六
謝莊諸人書跋……六
題李君册子……七
題鄭谷口摹古碑……七
題戲魚堂像贊……八
題黄庭蘭亭宋搨……八
録新詩書後……八
題玉峰相國徐公感蝗賦卷……九
題述歸賦卷……九
臨王書洛神賦題後……一〇
書宋搨宣示帖褚臨樂毅論後……一〇
臨王帖題後……一〇

題郎太守畫像……一一
題徐武功書後……一一
臨像贊書後……一一
跋樂毅論黄庭經臨本……一二
記淳化帖……一二
跋群玉堂帖……一三
跋曹全碑……一三
題丁太翁小影……一四
題毛闇齋采芝圖……一四
題查庶常臨各種帖贈行……一四
題宋搨十七帖……一五
臨聖教序跋後……一六
又……一六
書自作書後……一六
又……一七
跋柳公權榮示帖……一七
爲人臨衛夫人書帖……一七
題清溪老人江山卧遊圖……一七
題嚴蓀友留别和韻詩後……一八
臨右軍法帖書後……一八
題玉版十三行……一八
書官奴小女玉潤帖後……一九
書詠懷詩後……一九
跋黄州詩後……二〇
書册頁後……二〇
梁武帝書評跋……二〇
題帖……二一
題絳帖……二二

自跋臨米趙書……二二
題洛神賦後……二二
題黄庭經……二三
題十三行……二四
題畫……二四
題孔琳之書後……二四
題聖教序……二五
十七帖……二五
跋自書蘭亭敘……二六
跋張即之書楞嚴經……二六
題困學書李潮八分歌……二六
書石林詩話……二七
書劉禹錫淮陰行五首後……二八
題三好圖……二八
題摹古印譜……二八
題項霜田小影……二九
題告誓文……三〇
樂毅論始末……三〇
湛園札記
湛園札記卷一……三九
湛園札記卷二……七八
湛園札記卷三……一二八
湛園札記卷四……一六四

湛園題跋

湛園題跋

題樂毅論

梁武帝答陶貞白書："「逸少蹟無甚極細書，《樂毅論》乃微麤健，恐非真蹟。」陶上書云："「《樂毅論》愚心甚疑非真，而不敢輕言。今旨以爲非真，竊自信頗涉有悟。」予觀逸少《黄庭》、《曹娥》、《像贊》諸帖，知《樂毅論》洵爲麤健不同。然自唐人相傳爲法書第一，蓋唐時去梁已遠，王之真蹟益微，而唐人書法氣象多而神明少，宜此帖之見重於世也。此本與予所藏宋搨寶晋齋刻相争在豪釐之間，亦世所罕覯者。張子漢瞻别去兩年，其臨池增妙，今相見吴門，出此令題。予謂張子寳愛此書，正恐其作書便落唐以後氣格耳。

跋祝枝山書

今日觀陸子其清家藏法書，最多宋搨，《黄庭經》、《十七帖》及宋仲温真書孫過庭

《書譜》，其尤佳者。祝〔一〕枝山自寫所作詩長幅，文徵仲評其規模襄陽，而其書法原出於王氏父子，可謂曲盡枝山之藴。然祝書尤深入大令閫域，惜僞書紛出，非具眼不能辨也。張鳳翼後跋謂徵仲以東方朔學叔敖衣冠，爲一時下筆之誤。然張云枝山爲徐武功宅相，故其書似之，猶張敞之類馬遷。張當是楊字之誤，即楊敞亦未是司馬外孫，乃敞子惲耳。一事兩誤，可謂彼此更相笑也。

題祝京兆千字文

章草書，前朝惟宋仲温得張索遺意，而過於放軼〔二〕。枝山繼之，體兼衆家，故爲明書家第一。昨研溪庶常過予寓齋，出觀予所藏《離騷經》墨蹟，研溪歎絶，因以《千文》此本見假。予手臨一過，頗識其用筆之妙。但此帖不用章草，位置停匀，規矩謹飭，殆是此公杜德機時也。枝山又有一《千文》，純用藏真法，大小錯綜，行間天機亦自盎溢。只是摹本，摹手〔三〕又不工，不及此真蹟遠甚。乙亥春三月記。

臨宋儋書題後

此宋儋唐開元時人，與李璆齊聲。李師王，宋師鍾，李書今不傳，而宋真蹟惟《閣帖》存此二十一行。《閣帖》置古法帖中，列於衛夫人之前，則尚未知其爲唐〔四〕人也。然其書自有六朝間風味。

臨樂毅論題後

近始悟運筆之妙，全在心空。學中鋒三十年，都無一筆是處。早間臨此似有轉機，然塵務關心，往往墮落舊塹。東晋諸賢書法超絶古今者，皆由其神明獨妙。

董臨澄清堂帖跋

華亭書派輕薄摹仿，頓失古意。惟此卷筆筆藏鋒，妙於用拙，始見文敏真本領。然不得《澄清》祖帖，亦不能酣適如此。昔人論學書者，必得古人真蹟一二段臨摹，方能入妙，端有此理。今人眼界淺狹，書格所以日下也。聞張子漢瞻爲人乞文，以潤筆得之。予傭書至老，墨刓穎秃，無從購此一字。以此知文章聲價，去君遠矣。

跋遺教經

陶貞白與梁武帝論逸少書備矣，獨不及《遺教經》，何耶？黄山谷詩云：「小字莫作癡凍蠅，《樂毅論》勝《遺教經》。」癡凍蠅言其拘窘無逸韻也。予考唐僧徒最善集書，於逸少尤多。《遺教經》是集《樂毅》、《像贊》、《黃庭》、《洛神》、《孝女》、《誓墓》諸帖而成者，逐字玩之自見。字體雖少拘窘，然自是右軍家法，勝《道德經》多矣。

臨帖後書

寒威稍霽，紙窗西照，執筆欣然。得《閣帖》，僅臨晋魏間書數種，愛其遒秀發於淳古也。不及鍾、傅、二王者，亦猶唐人選詩之不録杜工部也。時乙亥十二月初五日，書成筆頭作凍，雪然有聲。

謝莊諸人書跋〔五〕

謝希逸、庾肩吾書，張懷瓘諸家品書亦不及。然其書實超軼，可入能品。謝萬石亦在能書之列。朗字長度，萬兄據之長子，小字胡兒，與姪疏自稱父，晋人猶有此風。晋朝議欲以謝元爲荆州，謝安自以父子名位太重云云，亦猶漢疏廣受之相稱也。對子姪自稱其名，則古所未有。《閣帖》王廞與三女稱廞疏，晋人通脱，固所不嫌耶。

題李君册子

篆法貴古不貴巧，漢印白文皆鑄成者，但記爵名而已，無爲字者，其篆體亦方正無多轉折。至唐用朱文刀刻，始有字及道號，而印璽之法從此日趨於巧矣。然自唐及明隆、萬以前，書翰家亦不用石章，用者只是銅牙章及黄楊木，故講此者頗少。今地不愛寶，文石四出，好奇之士鐫鑿争工，各以其意相配换，無復知有方正體者。且專講刀法，而漢鑄之體幾亡。今李君製譜力追古法，不欲多出新意，當波靡之會而好尚顧如此，是予之所重也。

題鄭谷口摹古碑

真出於隸，鍾太傅真書妙絶古今，以其全體分隸。右軍父子摹仿元常，所以楷法尤妙。欲學鍾、王之楷而不解分隸，是謂失其原本。漢建平、元和閒碑版，乃鍾、王所出，學者顧求之開元以還，是並不知鍾、王發源處，俱未得爲書家正宗。予晚好此書，恨年事〔六〕無及。又未見谷口，問之其門人，云先生自悔從《曹碑》入手，暮年規橅《夏承》，始盡其奇妙。今觀此題《曹碑》云「甲於漢刻」，知或言未信。谷口晚書奇變，殆是游刃之餘，未有舍規矩而能成巧者也。

題戲魚堂像贊

寶晋齋初刻《像贊》最爲神妙，中缺九十餘字。停雲館摹本雖少生趣，風格尚可想見。予家藏《寶晋》乃是曹之格重刻者，結體豐匀，亦無缺字，然頓乏生〔七〕致，不足重也。前年北上時，收拾得舊藏《戲魚堂》殘本四册，吴門遇故人司寇徐公，云當爲予命善手重裝，今不知竟落何處〔八〕。今日友人查浦以此本〔九〕見示，快所未覩，殆是《寶晋》初本之亞也。雖石刻多剥，意正似微雲之點月，愈覺妍好。

題黄庭蘭亭宋搨〔一〇〕

壬申歲獲見於朱竹垞之六峰閣，因題年月其後。此帖乃是《定武》之最有風神者，紙隔麻首尾無損。竹垞云多方購之始得，今遂落查浦手，其計更過於蕭翼也。丙子三月京師再題。

録新詩書後

王君樹百以便面屬書，適新詩成，遂細行書其上，十指幾爲皸裂。不知當暑摇之定，能作冰氣來襲人否。時乙亥十一月廿七日也。

題玉峰相國徐公感蝗賦卷

蝗之言王，陸農師曰其首腹背皆有王字，然則群飛食苗，聲餤蔽天者，以其有所挾而然也。公所見入境薨薨，遍於郡縣，安知其胸腹背間不隱隱有文若王如得所挾者乎？賦中有云「念吾后之深仁，亶民依之是恤」，畢竟此輩戢影年書，大有深仁之效應若枹鼓者，惜不令公見之。如公者，所謂進亦憂退亦憂者也。

題述歸賦卷〔一一〕

行芳志潔，昭昭若揭，日月而行，公與靈均，固可千載相質。其文瀾千回萬折，繼續掩抑間，自諧宮徵，騷人以降，惟《長門》、《羽獵》差爲近之，歷乎晉魏，寥寥絶響矣。公書法雖派本率更，實由心運。此與後賦兩紙隨手塗乙，無一筆率爾，《祭姪文》、《争坐位》之伯仲也。不知《天問》呵壁時，亦有此淋漓翰墨否。竊以屈子處亂事暗，其悲憤固宜。公遭際明盛，而亦有坎坷之歎，此撫今感昔，念不忘君，益有不能已於言者也。每一展卷，不覺涕淚之承睫云。時丙子三月二十日，敬跋於京師椿樹邸中。

臨王書洛神賦題後

有以《群玉堂帖》見示者，中有此賦，較《寶晋帖》差完，且神采更生動。逐字摹之，覺神似形拘，然形似亦在運筆間消息，今書家誰當解此。能知吾合處，方能指點吾病處。

書宋搨宣示帖褚臨樂毅論後

乙丑年在都，以褚河南《枯樹賦》易得《樂毅》、《破邪》二帖，後爲吴徵君天章取去，不得已捐此帖購還之。出門時以《樂毅》、《破邪》付長孫嘉樹，聞又入偷兒手矣，是予並三帖失之也。此本宋搨褚書，人間絶少，各帖無所之施，褚作無施之所，足備收藏考證。一時换去，予計固失，而徵君復以貽聲伯年兄，亦未爲得也。聲伯欲守此帖，當以予二人爲戒。

臨王帖題後

古人行書有真行，有行草，此所書《官奴帖》與《蘭亭敘》皆真行也，通體真書，少作牽曳而已。《雨泠》、《膺𦙍》二帖，行草也，真書中間以草字。雖則是草，不可縱筆，故晋魏人多用章草入行，後來率意作書，古法遂不可復見。

題郎太守畫像

君與唐東江相對居，謂唐予過必相聞也。予詣唐，唐輒忘之，而予亦疏嬾，未及修謁，因題此聊述其雅意，以志相思。

君謂考功，我來必告。詎意三年，一面未卜。有木千章，有琴一張。有亭有池，置君中央。躓邁龔黄，必希嵇阮。澹爾太虚，空林偃蹇。我展君畫，君得我文。何用識面，目擊道存。

題徐武功書後

武功倜儻畸人，故其書亦多奇氣。然予浙人也，於忠肅事不能學吴人以私恕之，於此帖亦不欲多觀。亦如李衛公之惡白香山詩，以爲見則必好也。

臨像贊書後末云「永和十二年五月十三日書與王敬仁」。

敬仁王修字濛之子，官著作郎，此太原人，與瑯琊異派，故書姓。王導雅愛鍾書，亂後猶衣帶中盛《宣示帖》。過江後以與右軍，敬仁從右軍借看，深好之，没時年二十四，其母即取《宣示帖》殉葬。修書隸行入妙。

跋樂毅論黄庭經臨本〔一二〕

陶貞白啓梁武帝，逸少有名之蹟不過數首，《黄庭》、《勸進》、《樂毅》、《像贊》、《洛神》，不審此種猶有存否。時武帝與陶皆疑《樂毅》微麤健，非真，不重也。至唐褚登善録右軍正書，以《樂毅》第一，《黄庭》第二。武平一《徐氏法書記》云，平一少育宫中，所見真蹟楷書二十餘卷，别有小函可十餘卷，所記憶者是扇書《樂毅》、《告誓》、《黄庭》。唐人珍重《樂毅》爲第一，代令能書者臨摹，《黄庭》不能並也。及神龍時歸之太平公主，太平敗爲老嫗竊取，縣令迫〔一三〕急付之竈火，而《樂毅》亡矣。《樂毅論》既亡，開元五年大王正書三卷遂題《黄庭》爲第一，《畫贊》第二，《告誓》第三。及潼關失守之後，訪《黄庭》真蹟不得，或云張通儒將出幽州，不〔一四〕知其處，而《黄庭》又亡矣。真蹟永絶，得見此妙手臨摹，令人悲喜不置。

記淳化帖

世綵堂翻本《淳化》、《絳帖》，俱可亂真。其客廖瑩中精於摹搨，王用和工於刻石故也。先是韓侂胄有《群玉堂帖》，亦其客向若水所手摹。二奸亡國，先後合轍，其博古好事乃亦有不謀而同者。使能移此以爲國用人，豈不家國俱榮乎？

跋群玉堂帖

帖有十卷，舊名《閲古堂帖》，後名「群玉」，蓋侂胄誅後籍入祕省，嘉定末年所改也。以首卷皆南渡後帝書，故得存耳。二、三、四，晋、隋、唐帖，五卷後盡是宋人書。全刻失傳久矣，此本零星收拾，僅得兩册。雖逸少書有過肥之病，然刻手極精，紙墨亦好。又所録李邕詩今不多見，或云是中唐人詩，似有理。然不知北海何故得書之。

跋曹全碑

予酷愛漢隸而不能學，近覓此帖，連得兩本，時時展對，如見典型，正不必手摹爲快也。帖以晚出，幸完好，昨有惠予《漢滎陽令韓仁碑》者，亦是元至大間始出，令李天驥再立石，而翰林趙閑閑記之，慶韓君循吏，至是始顯，然其字已多磨滅矣。吾安知四百年之後，此碑不更磨滅如《韓碑》耶？宜廉讓曹子之〔一五〕寶愛此本，直欲使四百年後賞鑒家有所考據耳。

題丁太翁小影

伊川先生謂，影堂之制使有一豪髮不相似，便與拜他人父母何異。然昔人有雕木爲像而奉其親者，宋承旨爲其作傳，不以爲非孝也，況於圖像之逼真者乎？先君没於途次，倉卒召工，寫真未肖。予在京邸，歲時忌日僅書官贈於片紙，如古人設幣之狀，瞻拜饋饗而已，以此銜恤終天。木公年兄敬事其尊甫愛菊圖像，雖遠客江湖，未嘗不奉之以行也，可謂永言孝思者矣。今日以示予，予因之有感，題曰：「思其所嗜，采籬之菊。僾如愾如，江湖一幅。」

題毛闇齋采芝圖

漢初黄綺，采芝山中。於時傳經，有大毛公。采芝之歌，灼灼其華。經傳於後，詩正而葩。我歌我詩，復餌其芝。彼何人者，毛公之支。邈矣高風，相望異代。石泉蒼松，披圖斯在。

題查庶常臨各種帖贈行

京師人士，往來賀遷贈別皆有詩，詩貴多無少，貴長無短，貴律而排，無古而散，得是三者則無問工拙，彼此之心皆快然無憾，而非是以爲不稱。故予於茂名錢明府之行，多與長無有焉，亦賦七律一章爲贈。明府知予之拙也，而不以爲嫌者，徇俗之例如是足也。查庶常與明府同年至好，獨不爲詩，臨古帖各體裝册贈之。今人作書與詩類不好古，其目力所到至宋人止耳。庶常詩取法三唐，溯源漢魏。其於書也，自鍾、王、虞、褚之輩以及宋、元、明書家，無所不臨摹，得其運轉變换之法，如此册種種風格，可重也。明府攜此以行嶺外，村墟山館，鳥聲淒斷，人烟稀絶，眺望無聊之際，出此展觀之，必當欣然獨笑，而有會於庶常之詩也。以視諸君子贈行之什，雖興會各自不同，然意味深長，要無踰於此者矣。

題宋搨十七帖

唐張懷瓘論草勢云，草之體勢一筆而成，惟王子敬明其深詣，故行首之字往往繼前行之末。逸少草書雖圓豐妍美，乃乏神氣，無戈戟。又云逸少草書有女郎才，無丈夫氣。子敬草逸氣蓋世，千古獨立，家尊纔可爲其弟子耳。懷瓘以一筆成書，連牽不斷，爲草書之精，非知書者也。所謂草書者，草其真也。草書在乎〔一六〕點畫拖曳之間，若斷若續而鋒棱宛然，真意不失，此爲至精至妙。唐文皇集右軍書，取其尤者爲《十七帖》。其《晉書·御製義之傳贊》曰：「烟霏霧結，狀若斷而還連，鳳翥龍盤，勢如斜而反直。」知此者，可以得其集此帖之意矣。

臨聖教序跋後

臨二王書須略得晉人幾分筆意，正以藴藉爲宗。若專務險勁，但論氣質，便似唐人效劉義慶作《世説》語，雖詞條豐蔚，終難合也〔一七〕。

又

唐寺塔碑文集右軍書者多矣，然獨此帖盛行者，以御製文故重之也。不作是書殆三十年，在天津與友人查浦同寓，命予書之。搨本下劣，轉得一快，以神氣不爲所奪耳。

書自作書後

古人倣書有臨有摹，臨可自出新意，故其流傳與自運無別。摹必重規疊矩，雖得形似，已落舊本一層矣。然臨者或至流蕩雜出，摹者斤斤守法，尚有典型。予於書非敢自謂成家，蓋即摹以爲學也，傳與不傳殊非意中所計。

又

逸兄以此册屬書晚唐五律，隨意寫付之。字不足觀，數詩皆當時名句，時一展看，知古人下筆不苟也。

跋〔一八〕柳公權榮示帖中云有「赤箭多寄三五兩，以扶衰病」。

赤箭即天麻苗。陶弘景曰：「其苗爲粉，久服益氣力，長陰肥健，輕身增年。」唐太平公主與宫人元氏謀，於赤箭粉中置毒進玄宗。白香山《齋居詩》：「黄著數匙粥，赤箭一甌湯。」公權所須亦此類，蓋是唐時風尚，猶晋宋閒朝賢之服石散也。

爲人臨衛夫人書帖

窗外微霰，豪間凍澁，勢不得騁，特於體制無失耳。逸少《蘭亭》是其最得意書，亦必於天朗氣清時得之也。

題清溪老人江山卧遊圖程芳朝，湖廣人。

石田去後，雲間畫派單行，專以姿韻取勝矣。此卷蒼茫遠勢，不減相城風味，是百餘年所未有，其落筆時蕭然塵外之意可想也。簡可兄知寶愛此遺墨，青溪公自可不亡，正不如米家阿虎，規規家法也。

題嚴蓀友留别和韻詩後

以拙手用退筆書，處處著礙，視前人所作如蒹葭之倚玉矣。光武云「見卿使人慙」，此書長存，予慙不止也。

臨右軍法帖書後

右軍爲會稽内史，與藍田相失，誓墓不出，竟行其志，可謂振古豪傑。書法皆與所臨《宣示》、《戎路》諸帖相表裏，其細書《黄庭》、《曹娥》别是一種，《樂毅》、《像贊》有絶相類處，此可以意會不可以言傳也。大令求展墓表，自是父子不媿家風。二王外之能爲鍾書者，王仲將、僧虔、蕭子雲而已。唐以下此種幾絶。歲在乙丑，爲毗陵楊鼂令兄寫此帖。長安筆價奇貴，以折鋒豪書此，不覺意盡。

題玉版十三行

右軍父子真書雖同出於鍾太傅，右軍歛鋒，大令拓筆，觀《樂毅》、《東方》諸帖與此可見。賈氏刻玉版，予二十年前曾見之武林，乃觀橋葉氏質之王氏者。是時從友人乞得一紙，今此刻不知又落何家，予所藏亦失去久矣，再過數十年，恐搨本便不易購。水村之喜得而寶藏之，亦見及此歟。

書官奴小女玉潤帖後

官奴子敬小字，劉夢得酬柳子厚詩「還思寫論付官奴」，謂子敬也。注柳詩者謂是逸少女名，誤矣，彼不知玉潤是官奴女名也。逸少尚有官奴婦，《産復委篤憂之深》〔一九〕一帖可見〔二〇〕。逸少七男一女，極子孫之盛，而一女疾病，至於憂之焦〔二一〕也，引罪自責，其慈祥樂易可見。他日又云：「得一味之甘，割而分之，以娱目前。」宜其誓墓於未衰之年，不能以此而易彼也。

書詠懷詩後

張子寄此紙屬書《詠懷詩》。因寓中無全本，僅書《文選》所録十七首。是日閏三月朔日，有食之既，時北平薄子聿修、宿遷徐子壇長過寓齋，看書相對，閣筆歎息者久之。

昨初書作意成小拘束，今早書第三四頁覺少放，五六以後至《景陽雜詩》則神來之候，娓娓不自止矣。

跋黄州詩後

楊君覺令遺兩筆，可作細楷。予疑其未佳，輒作大行草五六幅，餘一枝偶試爲真書，良善。及取行草者，楷書之鋒鋭已脱矣，此是也。世不乏佳士，以意侮而失之者多矣。然予之所失者筆也，猶珍藏其一，其壞者亦拂拭而用之，可盡其餘。長筆之於予，可無憾矣。彼人之見屈於不知，而終以頽廢不振者，可勝道耶？況又有既知而故抑之者，彼其何能以無憾於心耶。予於此有感。

書册頁後

友人曹子廉讓復擕此來，曰「願書滿册」。兩日適無事，隨意塗抹，不覺紙盡，然不知何所用。鴻爪雪泥，寧與世人計多少哉？

梁武帝書評跋

此從漢末至梁三十四人，乃以兩本彙而録之，一云二十八人，今得三十有二。袁昂

《古今評》，普通四年所上，大率相類。蓋武帝用其語斟酌成此耳。然中有「張融書如辯事對揚，獨語不困，行必會理」，「蕭子雲孤松一枝，下有壯士彎弓，雄人猶虎，心胸猛浪，鋒刃難當」，「顔倩書如貧家莫果，無效可受，少乏珍羞」，「王彬之書放縱快利，筆道流便」，「蕭特書雖有家風，風流勢薄，猶如大小王，安得相似也」，「郄愔書縱横廓落，大意不凡，而得體未備」，「郄愔書得意甚熟，而最妙時難〔二二〕，疏散風氣，不無雅舊」，「庾肩吾書畏懼收斂，少得自充」。共八人評論，而此書不見，豈以其辭未雅馴而削之耶？抑是後來附會，原書固未嘗有耶？中於孔琳、蕭子雲諸人書俱不下貶語，獨深文於大令，比儗不倫，豈爲公論？袁昂《書評》有云：「張芝驚奇，鍾繇特絶，逸少能態，獻之冠世。」此語爲得其實云。

題帖〔二三〕

此隋僧智果書，字非一體，當是積日所成。玩其行楷，亦精研於鍾、傅者。而李嗣真《書評》比之委巷之質，豈其然乎？

題絳帖

《絳帖》在南宋諸本雜出，已不可辨。單炳文、曹士冕〔二四〕所論至爲詳密，然較之此本，其卷數皆非舊識，字畫波磔更無論矣。舊有二十卷，而此只十二卷，終卷是孫過庭諸人，恐唐人書亦未必更有八卷，則此爲全本無疑。當亦如《寶晋齋》之有米、曹二本，多少並行也。司農孔君新得此，出以見示，其紙墨黝古，今時亦不易遇，洵足珍也。

自跋臨米趙書

徐子道積曰：「君規摹魏晋人書，偶一爲此，終不脱向來本色。」答曰：「惟有向來本色，所以貌得宋元人書。譬如今詩家，目不識《古詩十九首》「蘇李贈答」爲何物，而哆哆蘇、陸，到底是兩家門外客也。」

題洛神賦後

或傳子建得甄后玉鏤金帶枕，感歎不已，還濟洛水，忽若有見，遂爲此賦。初名「感甄」，後因明帝見之，改名「洛神」。愚意不然。子桓兄弟猜忌，必無與枕之事。即與，而子建敢斥名賦之乎？果爾，則無以異於桑濮之淫辭。王逸少父子晋代名流，決不輕書也。蓋子建師法屈、宋，此直摹宋玉《神女賦》耳。逸少今所傳有二本，子敬喜書《洛神》，多至數十本，亦愛其辭之麗〔二五〕而有體也。予固戒爲綺語者，因某之請，遂書此與之，聊亦自附於昔賢之風致云。

題黄庭經

《黄庭經》或云是右軍换鵝書，或云换鵝者是《道德經》，非《黄庭》也。自陶弘景始以此書與《樂毅論》並稱，爲右軍有名筆蹟。後入唐宫中，武平一所見是扇書，恐别是後來臨本矣，其書亦旋散失〔二六〕。開元五年購〔二七〕得右軍正書三卷，第一是《黄庭》，後函關失守，内庫法書復散落人間。事平，遣使搜訪，獨未得《黄庭》真蹟，相傳爲張通儒將向幽州，莫知去處。據此則《黄庭》自唐中葉散失已久，後人摹刻者，不知竟是何本。予所見宋搨非一，此白下蔡崗南兄所寶藏〔二八〕，其彩色鮮好，予展卷歎賞，留置案頭，臨摹再過，不識與真蹟相去幾許。若摹刻，則近來收藏家殆未有過之者也。崗南屬予以數言題後，並記其始末如此。

題十三行

此武林緑石本，世推爲《十三行》第一。然筆法方整，頗類趙松雪，豈即其摹刻耶？昨楊子楚萍出予所鉤唐臨墨蹟共觀之，不覺咨嗟歎絶，惜楚萍猶未見其真本。古人手蹟日就零落，雖刻本之善者將不多得，則楚萍之寶愛此本，未爲過也。戊寅八月六日記。

題　畫〔二九〕

豪尖圓動，墨汁薰蒸，槃礴之妙，宛然寫生。空林蕭條，茅屋静整，定知有人，門迹雙屏。人不可見，名不可聞。悠悠遠山，往來白雲。如此逸蹟，誰爲寶者。邈彼朱門，何殊林下。

題孔琳之書後

孔琳之字彦林，草行師於小王，時稱羊〔三〇〕真孔草。王僧虔曰，琳之書天然絶逸，極有筆力，規矩《閣帖》，僅得此數行，人少習者，以其語非吉祥。然梁制，彼此弔答中，言感思乖錯者，州望須刺大中正處入清義，終身不得仕，其重如此。故武帝嘗與儒臣講喪禮，而子弟亦家習之，有以善講喪禮得舉者。大抵六朝風氣似此。後世忌諱繁多，而人情益通脱，反以晋宋人爲放誕，何也？ 戊寅九月廿三清晨臨帖，隨筆記之。

題聖教序〔三一〕

唐世右軍遺蹟猶多，空門碑版尤喜集其字。如盧藏用《建福寺三門碑》、胡霈然《大智禪師碑》、越王貞《大興國寺舍利塔碑》、僧行敘《懷素律師碑》，皆集〔三二〕右軍書而爲之者，非獨懷仁一人也。世傳懷仁居恒〔三三〕福寺，摹集右軍稱精熟，其徒胡英效之，亦〔三四〕時集王書勒石，蓋僧徒欲借此以久其師傳耳。董文敏據《舍利塔碑》，謂「集」爲「習」，乃好奇之過。不知《舍利》亦集王書，殆是以「習」通「集」耳。不然，今《聖教碑》與逸少諸帖並行，豈懷仁之書〔三五〕遂足以方駕右軍耶？

十七帖 今往絲布單衣示致意。

宇文周武帝詔：「庶人以上，惟聽衣紬、綿紬、絲布、圓綾、紗、絹、綃、葛、布九種。」注：「絲布以絲裨布縷織之，今謂之兼絲布也。」觀右軍帖，則知絲布之稱晋時已然矣。晋樂府有云「絲布澁難縫」。唐制，凡賜雜綵十段，則中用絲布二〔三六〕疋。

跋自〔三七〕書蘭亭敘

《定武》本爲歐書，比之褚登善所臨特爲端楷。近惟東陽何氏所藏石刻爲得其真。然搨久漫漶，予特〔三八〕以意摹之。大抵去古愈遠，則失真益甚。古人作書俱有口訣面授，今既不可得矣，但審知用筆之法，臨書時自於手腕閒消息，庶乎古人不遠耳。

跋張即之書楞嚴經

張即之號樗寮，書法歐陽率更，加之險峭，遂自成家，今《停雲館》收刻只數行。予家有其所寫《楞嚴經》全卷〔三九〕，遭亂播遷，僅存此廿二葉。《停雲》所刻有云：「慈谿有王昇者，出入吾家二十餘年。」吾邑多張書，其皆王君所得乎？世傳其爲水精書，能禳火，故藏書家多寶之。

題困學書李潮八分歌

予家藏伯機〔四〇〕草書《蘭亭》及李潮《八分歌》、《蘭亭帖》。戊午攜至京師，客久困乏，爲有力者購去。獨此帖留家，復黴爛去半截。偶於行笥檢得，輒割裂其行數，令工裝之。雖斷文訛缺，若遇中郎，猶足爲柯亭之賞也。

書石林詩話

古人語不可輕駁。葉石林云：「劉子儀、楊大年皆喜唐彥謙詩，以其用事精巧，對偶親切。黄魯直詩體雖不類，然亦不以楊、劉爲過。如彥謙《題漢高廟》云：『耳聞明主提三尺，眼見愚民盜一抔。』雖是著題，然語皆歇後。一抔事無兩出，或可略土字，如三尺律、三尺喙皆可，何獨劍乎？蘇子瞻詩有『買牛但自捐三尺，射鼠何勞挽六鈞』，亦與此同病。六鈞可去弓字，三尺不可去劍字，此理甚易知也。」其語甚辯。然予案《漢書·高祖本紀》曰：「吾以布衣提三尺取天下。」師古曰：「三尺，劍也。下韓國安所云三尺亦同。而流俗書本或云提三尺劍，劍字後人所加耳。」此語及注甚明是歇後語，班固已然。而石林止憑《史記》從夢中彈駁古人，不慮子瞻、魯直胡盧地下耶？且即石林論詩亦未當其實，「王荆公晚年詩律精嚴，不見有牽率排比處」，而所舉王詩「含風鴨緑鱗鱗細，弄日鵝黄裊裊垂」，鴨緑指水，鵝黄指柳，題見水柳字可耳。不然，鴨緑、鵝黄竟是何物？反不如三尺、一抔之猶自然也。且鵝黄古人亦以比酒，與三尺律、三尺喙又何異？云提三尺，自是劍，不聞三尺喙、三尺律〔四一〕可提也。若捐三尺則未妥。

書劉禹錫淮陰行五首後

「無奈脱菜時，清淮春浪輭。」「脱菜」，魯直疑其不可解。周益公《二老堂詩話》謂嘗見古本作「挑菜」。案，五首本集止四首，末篇爲《紇那曲詞》。「脱菜」本集作「晚來」尤明。

題三好圖

查林先生以此圖屬題。予展卷諦視，宛然真面目也。適禹鴻臚來，謂曰：「此公之貌所以神似者，以有三好可尋耳。吾胸中一念不起，於物一無所著，君何從而物色之哉。」禹曰：「杜詩云『落月滿屋梁，猶疑照顔色』，評者謂太白風神，千古如見。是杜之善於爲李寫照也。今清風明月何處無之，予何爲無以得子耶？」相與一笑而别。遂記其語於後。

題摹古印譜

自秦相變古法作《蒼頡篇》，《爰歷》、《博學》同時並著，於是八體有摹印。其法周曲縝密，皆仿秦璽文爲之，而頡籀古文遂廢。魯壁所藏、汲冢所出，雖沉深博古之士至不能識其大全，况後之學者去古益遠，欲其分别文字，以不失作者源流，胡可得也？摹印僅八書一體，然自分隸盛行之後，篆書賴此得存，使其由斯篆以上溯頡籀遺法，安在古文不可復興於今日哉？予最愛近時程山人穆倩所作，而時輩競譁之，以爲詭怪不經。穆倩已矣，百世而後，當必有識子雲者。今觀劉生《稽古堂印略》，猶能得其彷彿，於方幅之上，蟲文鳥迹，絡繹雲布。予雖淺學，不能驟辨其於古真似何如，然可謂有志者矣。

題項霜田小影

僦居湫隘，庭前春盡不見寸草，一枝之蔭比於瓊樹，蓋都下寓居皆如此，不獨予也。聞之老居京師者云，五十年前，公卿邸第門宇靚飭，雜樹疏映，街衢闤闠槐柳俱成行列，士大夫公餘散步，閒入肆中繙閱圖史，摩挲古敦彝窑器，翛然而返，不礙車馬。予因此想見唐人「落葉滿長安」之句。今日項子霜田手攜此圖相示，老樹突兀，在吾眼前，既是快所未得，又著此蕭疏閒遠、不受一點塵埃人物，觀其挾策趺坐，意不在書，使人之意也消。時金行初届，殘暑猶灼，與客同觀，如有涼風拂拂從卷中出矣。

定祥案：原本此下尚有《跋家藏唐石蘭亭序》一首，已見《未定稿》。

題〔四二〕告誓文

《嘉話録》云：「王右軍《告誓文》，今之所傳即其稿本，不具年月日朔。其真本云『永和十年三月癸卯朔九日辛亥』，而書亦是真小文。開元初年閏月，江寧縣瓦官寺修講堂，匠人於鴟瓦内竹筒中得之，與一沙門主。八年，縣丞李延業求得之上岐王，岐王以獻帝，便留不出。或云後借之岐王，十年，王家失火，此書亦見焚。」案，今法帖所刻皆具年月，豈後人因夢得言而增入耶？然其摹法頗古。

樂毅論始末

陳僧智永云：「《樂毅論》者正〔四三〕書第一，梁世摹出，自蕭、阮之流莫不臨學。陳天嘉中，人得以獻文帝，帝以賜始興王。王乍〔四四〕收禁中，即以見示。吾嘗聞其妙，今覩其真。始興薨後，仍屬廢帝，廢帝没又屬餘杭公主，陳世諸王皆求不得。及天下既定，永處處追尋，累載方得。陶貞白云『大雅吟《樂毅》』，論《太師箴》等筆力妍媚，紙墨精新，言得之矣。」智永記如此。案，梁武帝云：「《樂毅論》微麤健，恐非真[四五]蹟。」宏景答啓：「愚心甚疑是摹，不敢[四六]輕言，令旨以爲非真，竊自信頗涉有悟。」則姸媚之評恐未然也。此帖入唐，太宗與《蘭亭》同所賞玩，高宗敕馮懷素、諸葛真搨賜長孫無忌等六人，外間方有。則天時，武平一少育宮中，見真字楷書，每函可有二十餘卷，別有小函十餘卷，所記憶者是扇書《樂毅論》、《告誓》、《黄庭經》。至神龍中，太平公主取小函以歸。平一任郴州日，與太平子薛崇允、堂兄子崇胤連官説，太平之敗，崇允懷《樂毅》等七軸請崇胤託其叔駙馬撒賂岐王以求免罪，此書遂歸邸第。徐浩《古蹟記》又云，太平公主愛《樂毅論》，以織成錦袋盛置於箱，及籍没後，有咸陽老嫗竊舉[四七]袖中，縣令尋追，驚懼奔趨投之竈下，香聞數里。《蘭亭》自昭陵發掘後，真本流落人間，至宋南渡前猶有得之以獻者，而《樂毅》亡矣。然徐浩云，潼關失守後，有趙城倉督自云有好書，欲請贖罪。史惟則索看，遂取扇書《告誓》並二王真蹟四卷上之。韋述《開元記》又云，蕭令尋奏上滑州人家藏右軍扇上真書《宣示》及小王行書《白騎遂》等二卷。則扇書者一云《告誓》，一云《宣示》，其説已不同。而平一云扇書《樂毅》、《告誓》、《黄庭》，則豈數書流傳者皆扇乎？備存之以俟臨池者。

校勘記

〔一〕「祝」,《涉聞梓舊》本作「又」。
〔二〕「軼」,底本作「帙」,據《涉聞梓舊》本改。
〔三〕「手」,《涉聞梓舊》本作「本」。
〔四〕「唐」字底本原無,據《涉聞梓舊》本補。
〔五〕《涉聞梓舊》本無「跋」字。
〔六〕「事」,《涉聞梓舊》本作「高」。
〔七〕「生」,《涉聞梓舊》本作「風」。
〔八〕此句下《涉聞梓舊》本有「内亦無此帖」五字。
〔九〕「此本」,底本作「見此」,據《涉聞梓舊》本改。
〔一〇〕《涉聞梓舊》本題作「題蘭亭宋搨」。
〔一一〕馮鈔黄編本「題」上有「又」。
〔一二〕《涉聞梓舊》本題作「跋樂毅論黄庭經臨本因記始末」。
〔一三〕「追」,《涉聞梓舊》本作「追」。

〔一四〕「不」，《涉聞梓舊》本作「莫」。
〔一五〕《涉聞梓舊》本無「之」字。
〔一六〕《涉聞梓舊》本無「乎」字。
〔一七〕「難合也」，馮鈔黄編本作「離本色」。
〔一八〕《涉聞梓舊》本無「跋」字。
〔一九〕「産復委篤憂之深」，底本作「舊復委頓憂之深」，據《涉聞梓舊》本改。
〔二〇〕「見」，《涉聞梓舊》本作「證」。
〔二一〕《涉聞梓舊》、馮鈔黄編本「焦」下有「心」字。
〔二二〕「難」，底本作「雖」，據馮鈔黄編本改。
〔二三〕「題帖」，《涉聞梓舊》本作「又」，蓋接續上則。
〔二四〕「冕」，底本作「晃」，據《涉聞梓舊》本改。
〔二五〕《涉聞梓舊》本「麗」上有「工」字。
〔二六〕「後來臨本矣」、「其書亦旋散失」之間，《涉聞梓舊》本有「至神龍中太平公主取歸太平之敗以賂岐王」十八字。
〔二七〕「購」，底本作「覯」，據《涉聞梓舊》本改。

〔二八〕「崗南」，《涉聞梓舊》本作「岡南」。「藏」下《涉聞梓舊》本有「者」字。

〔二九〕《昭代叢書》本、馮鈔黄編本題作「題畫平林遠岫」。

〔三〇〕「羊」，底本作「楊」，據《涉聞梓舊》本改。

〔三一〕《涉聞梓舊》本「題」上有「又」字。

〔三二〕「集」字底本原無，據《涉聞梓舊》本補。

〔三三〕「恒」，《涉聞梓舊》本作「宏」。

〔三四〕「亦」，底本作「一」，據《涉聞梓舊》本改。

〔三五〕「書」字底本原無，據《涉聞梓舊》本補。

〔三六〕「二」，底本作「三」，据《涉聞梓舊》本改。

〔三七〕《涉聞梓舊》本無「自」字。

〔三八〕「特」，《涉聞梓舊》本作「時」。

〔三九〕「卷」，《涉聞梓舊》本作「本」。

〔四〇〕「機」，底本作「幾」，據《涉聞梓舊》本改。

〔四一〕「三尺喙、三尺律」，馮編黄鈔本作「三尺喙律」。

〔四二〕「題」，《涉聞梓舊》本作「跋」。

〔四三〕「正」，《涉聞梓舊》本作「真」。
〔四四〕「乍」，《涉聞梓舊》本作「昨」。
〔四五〕「真」，底本作「蹟」，據《涉聞梓舊》本改。
〔四六〕「敢」字底本原無，據《涉聞梓舊》本補。
〔四七〕「舉」，《涉聞梓舊》本作「弆」。

湛園札記

湛園札記卷一

伏羲時河出《圖》而作《易》。《水經注》：「黄帝時天大霧三日，帝游洛水之上，見大魚，殺五牲以醮之，天乃甚雨七日七夜，魚流始得《圖》、《書》。」今《河圖·視萌篇》是也。又《論語讖》曰：「仲尼云吾聞堯率舜等升於首山而導河渚，有五老游焉，相謂《河圖》將來，告帝以期，知我者重瞳也。五老乃翻爲流星而入於昴。」《拾遺記》：「堯於河濱得玉版方尺，圖天地之形。」又《符瑞志》：「堯以二月辛丑修壇場於河，有龍馬吐圖，以白玉爲檢，赤玉爲泥，約以青繩。後二年堯又率群臣沉璧於洛，受龜書。舜亦設壇河洛，修堯故事。」又：「禹治洪水，觀於河，見白面長人魚身出曰『吾河精也』，授禹《河圖》而還於淵。」是伏羲、黄帝、堯、舜、禹，《河圖》凡數見，以《洛書》爲《河圖》者，則關子明説之所本也。

西漢歲課士，有對策、射策。師古曰：「射策者，謂爲難問疑義書之於策，量其大小置爲甲乙之科，列而置之，不使彰顯。有欲射者，取而擇之，以知優劣。對策者，顯問以經義令各對之，而觀其文辭定高下也。」案，董仲舒以對策爲江都相，蕭望之以射策甲科爲郎，是也。甲乙之科隨其事之大小而隱置之，故匡衡射策甲科，以不應令除爲太常掌故也。甲科下有乙、丙科，《儒林傳》謂〔一〕歲課甲科爲郎中，乙科爲太子舍人，丙科補文學掌故。匡衡雖是不應令，下從丙科之列而爲掌故，亦以宣帝不好儒術，故抑而至此。唐宋以還，明經帖義即漢射策之法，進士科顯試以詩、賦、策論，觀其文辭，則對策之遺意矣。

衛宏定《古文尚書》，序云鼂錯受《尚書》於伏生之女。錯，潁川人，齊人語多與潁川異，錯所不知者凡十二三，略以其意屬讀而已。案《漢書》，伏生得藏壁書二十九篇，即以教於齊魯之間，齊學者由此頗能言《尚書》。其後有張生、歐陽生、伏生孫，亦以治《尚書》徵。據此則伏生雖老，何必使其女傳言教錯，即傳言而徵明者有人，亦不至以意屬讀也。明是好事者爲之説。

文翁減省少府用度，買〔二〕刀布蜀物，齎計吏以遺博士。師古曰：「少府郡掌財物之府，以供大府者也。」夫縣官有少府以供私用，而是時天下之郡皆有之，其賢者至得用之以爲教養士子之具。漢之所以養廉者厚矣。

《相如傳》言在梁著《子虛賦》，天子讀而善之，相如曰：「此諸侯之事未足觀，請爲天子游獵之賦。」上令尚書給筆札。相如以子虛虛言也，爲楚稱，烏有先生者，烏有此事也，爲齊難，亡是公者，亡是人也，欲明天子之義，故虛藉此三人爲辭。其爲《子虛》也，既立此三人名以爲《上林》之地矣，後《上林賦》亡是公語與烏有先生齊難緊接無從分段，不知緣何有先後篇之別。豈著《上林》時始改剟前賦而爲之耶？不然，則前賦爲不了語矣。

中行説難漢使曰：「且禮義之弊，上下交怨，而室屋之極，生力屈焉。」此老氏之旨。當時文帝尚黃老，故其一時相習成風如此。

烏氏蠃用谷量馬牛，秦始皇令比封君與朝請。巴寡婦用財自衛，爲築女懷清臺。《周禮》安富遺意，亦秦致富强之本教也。後世動破壞富家，詭云强幹弱枝之計者，殊失之矣。

高歡問爾朱榮，聞公有馬十二谷云云，以谷量馬，乃邊陲舊俗也。

劉禹錫作《九日詩》，欲用糕字，思經中無此字，遂止。宋景文讀《周禮》「糗餌粉餈」，鄭注「今之餈糕云」，安得謂六經中無糕字，遂作詩嘲之。今案，鄭注「合蒸曰餌，餅之曰餈」，賈公彥疏始云「今之餈糕」以解之，糕字見此，非鄭語也。公彥唐人，餈糕又是唐俗稱，無關經語。景文讀書粗率，而反笑夢得非詩豪，致爲後來口實，可笑也。北齊綦連猛與趙彥深俱被出，先是謡曰：「七月刈禾太早，九月啖糕未好。嗜欲尋山射虎，激射旁中趙老。」此糕字正合本事，雖非經文，出自正史，以此駁劉，斯無辭矣。

《疏》：「糝食，菜餗蒸，若今煮菜謂之蒸菜也。」案，今俗蒸餅用菜爲餡，此類是矣。

《易》「鼎九四」：「鼎折足，覆公餗。其形渥凶。」鄭注云：「糁謂之餗，震爲竹，竹萌曰筍，筍者餗之爲菜也，是八珍之食。臣下曠官失君之美道，當刑之於屋中。」案，周亦以筍爲珍味，故其詩曰「維筍及蒲」，饋食之籩，亦有筍菹。

《注》：「張氈案，以氈爲床於幄中。」則床亦得案稱矣。

司會之職，惟王不會，而司書之職，凡上之用財，用必考於司會。注云：「上謂王與冢宰，王雖不會，亦當知多少而鬭之，司會以九式均節邦之財用。」

宮正之職內宰，分其人民以居之。注云：「人民，吏子弟。」疏：「吏即閽寺弟子，宿衛宮室〔三〕者。」案，閽寺有弟子，豈此時宦官有養兒耶？恐是賈氏習見漢末之弊，故有此說。當爲宮正所掌，宿衛之士庶子。

周王畿内公邑之地有四處，二百里、三百里其大夫如州長，四百里、五百里其大夫如縣長，此約《司馬法》二百里曰州，四百里曰縣而言。蓋周雖封建，而公邑之制亦彷彿如後世州縣之相臨矣。

疏：司門國門十二者，除四時祭外，仍有爲水祈禱，《左傳·莊公二十五年》有用牲於門之事。案，水祈雩禜與旱同，此義别見。

「囿人掌囿游之獸禁。」注：「囿游，囿之離宫小苑觀處也。」疏謂：「於王宫之外、於苑中離别爲宫，故名離宫。以宫外爲客館，亦名離宫也。」案宫外客館爲離宫，則齊王見孟子於雪宫亦是古制。

廩法有數名。《春秋》「御廩災」，天子亦有御廩，單言廩則平常掌米之廩。《明堂位》「魯有米廩，有虞氏之學」，以有虞氏尚孝，合藏粢盛之委，故名學爲米廩，非廩稱也。《詩》「亦有高廩」，以其「萬億及秭」，非藏米之數，故以藏穗言之，與常廩、御廩又異。

「遺人掌邦之委積，以待施惠，鄉里之委積以恤民之艱阨，縣都之委積以待凶荒。」此委積是國用之餘，遺人所掌，即後常平法意也。「司稼以年之上下出斂法，均民之食而賙其急」，是使民貧富相均以相賙恤，即後義倉、社倉意也。若倉人所謂「有餘則藏而待凶，以頒直」，謂頒國用耳，於民無涉，而後世概歸之先王恤民之政，非也。

「及徹率學士而歌雍之什。」注云：「歌《雍》，《雍》在《周頌・臣工之什》。」賈氏〔四〕：「聚十篇爲一卷，故云之什。」今人詩卷帙多少不倫，而概云之什，亦無謂。

定祥案：原本此下有論詩樂一則，已見《未定稿》。

《天府》疏：「司民，軒轅角也者〔五〕。」案，《武陵太守傳》曰：「《軒轅大角傳》云，軒轅十七星如龍形，有兩角，角有大民、小民。」此五音角之所以爲民也。

「爵行曰灌。」疏：「此《周禮》灌皆據祭而言。」至於生人飲酒亦曰灌，故《投壺禮》云「奉觴賜灌」，是生人飲酒爵行亦曰灌也。

上巳祓除謂之戒浴，見《祓除疏》。摯虞、束晳之對皆失引，或賈氏是唐人語。

《昭元年·左氏傳》：「鄭子産云，辰爲商星，參爲晋星。」後人以參辰爲參商者，誤。鄭司農説星土引《春秋傳》曰：「參爲晋星，商主大火。」改左氏本文，而參商之誤稱實始於此矣。

太史掌典法則，以逆邦國都鄙官府之治。案，八典、八法、八則，冢宰所建以治百官者。内宰既掌其貳矣，太史以宗伯不相屬之官，復受而逆治之，所以防冢宰之專而分其柄也，太史所考而不信者則刑之。内史又掌天官八柄之法以詔王治，而八法之五則易誅而殺。此天子執法之吏，近於今都察院之職，所以互爲糾察也。《周禮》之制豈專重冢宰者哉？

「諸子掌國子之倅。」注曰：「國子者是公卿大夫士之副貳。」疏：「案《王制》，大夫不世，今亦有倅得世者，以大夫有功德，亦得世。故《詩》曰『凡周之士，不顯亦世』也。」予案《經》：「國子存游倅，使之修德學道，春合諸樂，秋合諸射，以考其藝而進退之。」疏謂才藝長進與官爵，才藝短者退之，使更服膺受業也，如此使其終身德業不進，亦有不得繼其祖父之爵位者矣。雖曰世官，而與平流之叙進亦不甚遠也。

「蟈」，鄭司農讀爲「蜮」，「蜮」，蝦蟇也。《月令》曰：「螻蟈鳴，故曰掌其鼃黽。鼃黽，蝦蟇屬。」據司農，則蜮也，蝦蟇也，螻蟈也，一物異名。康成謂蟈今御所食蛙也，蜮乃短狐。據此則蟈與螻蟈另是一物，御所食則漢重此物。韓退之《食蝦蟇》詩「强〔六〕號爲蛙蛤」，又云「周公所不堪，灑灰垂典教」，是以蝦蟇與蛙爲一也。又云「大戰元鼎年」，元鼎五年蛙、蝦蟇鬬，則蛙與蝦蟇爲二物。

「束矢」疏謂：「先入束矢，於官不直則没入官。」案，此則情直者訟終所還之也，若曲直概入官，比於今之罰鍰更重矣，却無此理。下〔七〕入鈞金，倣此。

「三刺訊萬民，萬民閒有德行不仕者。」此説却好。

古者殺人亦必擇日而後加刑。「獄訟成，士師受中〔八〕，協日刑殺。」注：「和合支幹善日，若今時望後利日也。」

孟子曰：「諸侯有王見大行人諸侯之王事。」注：「案今本《孟子》無此句，豈亦有逸篇與？」

「望其輻〔九〕，欲其掣爾而纖也。」注：「鄭司農云讀爲紛容掣參之掣。」疏：「先鄭云云，此蓋舊〔一〇〕文，今檢未得此句。」本見《上林賦》「紛容箾參，猗猊從風」，前注「迆崇於軫」讀爲「倚移從風」之「移」。疏：「司馬長卿《上林賦》云『從風倚移』，此二句連文。」而復云檢未得，未知何意。

記述之誤。

疏「削，今之書刀者，漢時蔡倫造紙，蒙恬造筆」云云。案，蒙恬秦人而云漢時，亦記述之誤。

「鐘大而短則其聲疾而短聞，鐘小而長則其聲舒而遠聞。」注：「淺則躁，躁則易竭，深則安，安則難息。」釋曰：「此二者於樂器中所擊縱聲舒而遠聞，亦不可。是以《樂記》云止如槁木，不欲遠聞之驗也。」此段説樂理最精，文猶是矣。

「城隅之制九雉。」疏：「鄭以浮思釋隅者。案漢時云『東闕浮思災』，則浮思者小樓也。」愚案，浮思爲小樓，則城隅即今城上譙樓。天子城隅九雉爲九丈，城身高七丈，則譙樓通城身爲九丈，其實樓二丈高也。

黄朝瑛《緗素雜記》：唐蘇鶚《演義》：「罘罳，織絲爲之，輕疏浮虚，象羅網交文之狀，蓋宫殿檐户之間。杜詩『罘罳朝共落』是也。」鶚説是也。案《鄭風·有女同車》章

「出其闉闍」，傳：「闉，曲城也。闍，城臺也。」《正義》云：「闍是城上之臺，謂當門臺也。」當門臺即鄭所謂城隅與？

「車人之事，半矩謂之宣。」注：「頭髮皓落曰宣。」《易》：「巽爲宣髮。」諺：「人頭髮早白謂之算髮。」即宣髮之訛也。

「羊車」注：「羊，善也。羊車，若今定張車。」疏：「亦未知定張車何所用，但知在宮内所用，故差小爲之，謂之羊車也。」愚案，定張車與果下馬俱宮内所用。

漢西河郡之圜陰，圜本作圁，而王莽改名方陰，則已誤圜爲圓矣。圁音銀。館陶有屯氏河，隋氏分析州縣，名爲毛氏河而置毛州，則復誤屯爲毛矣。

鼂錯傳《古文尚書》於伏生之女，河間獻王得《周禮》於李氏女子。秦焚書後，《易》惟失《説卦》三篇，得之河内女子，又得《書·泰誓》一篇獻之。六經，聖人大著

作，而三經以女子而得傳，斯亦奇矣。〔一一〕

《史》、《漢書·功臣侯年表〔一二〕》「皆亡國耗矣」。耗音毛，顔師古曰：「孑然獨立貌，今俗猶謂無爲耗。」予案《後漢書·馮衍傳》：「『飢者毛食』，臣賢案衍集，毛字作無。」

服虔曰：「持高帝衣冠，月旦以游於衆廟，已而復之。」案，月旦謂月出時也。

《功臣侯年表》射陽侯劉纏即項伯也，賣重瞳而得侯，甘心改姓而不媿，此名教之賊也。高祖殺丁公而封項伯，其刑賞之不平如此。予故謂漢主非惡丁公之不忠於項氏，直惡其窘己耳。不然，則恐臣下之叛己而預爲之防耶？然何足以欺天下後世哉？

汝南謝連，河内趙建章及臧旻，皆爲童子郎。

陳蕃爲樂安守，郡人周璆高潔之士，惟蕃能致焉，特爲置一榻，去而懸之。是蕃所置有二榻，今人只知徐穉矣。璆字孟玉。又唐王廷凑待駱山人以函丈之禮，别構一亭，去則懸榻。見《唐年補録》。

鄭泰曰："孔公緒清談高論，嘘枯吹生。"注："枯者嘘之使生，生者吹之使枯。"又《淮南子》："嘔之而生，吹之而死。"二字義正相反。今竿牘家動云吹嘘，其誤已久。《北史·盧思道傳》："翦拂吹嘘，長其光價。"則此時已沿襲不知矣。

古之奔喪者不定主三年之喪。陳重以姊憂去官。楊仁、宇文義以兄喪去官。譙玄字君黄，以弟服去官。韋義以兄順喪去官。

紙字從糸，蓋自古書契皆編以竹簡，其用縑帛者謂之紙，則紙直從縑帛得名也。至於蔡倫乃造意用樹膚、麻頭及敝布、魚網以爲紙。元興元年奏上之，天下咸稱蔡侯紙，而紙之所以得名已失其故。

《釋名》:「紙古用縑帛,依書長短隨事截之,名曰幡紙,故其字從糸。」蔡倫剉故布擣抄作紙,故其字從巾。然《倫傳》特言用樹膚、麻皮及敝布、魚網以爲紙奏上之,天下稱爲蔡侯紙。則倫紙不但用故布,字亦不從巾也。又《輿服志》:「蔡侯紙用故麻名麻紙,穀皮名穀紙。」故網名網紙,則紙字之通用多矣。或云「赫蹏書」,《西京雜記》稱薄蹏,則紙不始於蔡侯也。

紙名側理,亦曰側釐,近見有用陟釐者,不知所出。偶閲《本草》藥名,陟釐即苔也。王右軍帖:「嘗將陟釐也,此藥爲益如君告。」蓋擣苔爲紙,用以爲名耳。

趙壹《答皇甫規書》:「實望仁兄,昭其懸遲。」尺牘中用仁兄最古矣。

「謁舍」注曰:「所謂停主人之舍也。」此居停主人之稱所自。又《釋典》:譬如有客,寄宿孤亭,暫止便去,終不常住。而掌亭人都無去處,名爲亭主。

唐詩「二庭歸望斷」，陳仲醇不解「二庭」之語。案《耿秉傳》：「車師有前王後王，其庭相去五百餘里。」又范蔚宗《單于傳》：「於是匈奴分破，始有南北二庭焉。」謂南北匈奴也。賈捐之《諫書》「肅宗下慰安單于書」，即用其語。鼂錯《言兵事書》、梁商《與馮續書》亦用之。

《後漢書·南單于論》：「朔易無復匹馬之蹤。」注：「匈奴即降，朔方易水更無匈奴匹馬之蹤也。」案《虞書》「平在朔易」，其義明甚。易水内地，與朔方風馬牛不相及，而强爲引證，何其紕謬。

《單于論》「棄蔑天公」，注：「天公謂天子也。《前漢書》云老秃翁何爲首鼠兩端，秃翁即天翁也。高祖云幾敗乃公事，乃公即汝公也。惇史〔一三〕直筆存其質語也。」然天公猶言天道也，引秃翁益無涉。

胡安臨邛人，相如從受經，後盛覽、張叔皆從相如學。

越嶲乃今雲南老撾司，俗呼爲撾家。

「蔡茂初在廣漢，夢坐大殿，極上有三穗禾，茂跳取之，得其中穗，輒復失之。」「張子高劾黃次公舉孝廉爲第一，先上殿。」注：「屋之大者古通呼爲殿也。」然殿字僅見於此，廷字則多有之。

縣亦稱廷，郡亦稱朝。《後漢・王堂傳》：「堂教掾吏曰：『其憲章朝右，簡覈才職，委功曹陳蕃。』」吳會稽邵疇爲郡功曹，自言位極朝右。

《張禹傳》注引《東觀記》曰：「禹巡行守舍止大樹下，食糒。音備，糗也，乾飯屑飲水而已。」案，「音備糗也乾飯屑」七字是注，乃誤入正文。

《後漢書注》至鄙猥不經。如鄭興諸人傳贊：「中世儒門，賈鄭名學，衆馳一介，争禮氈幄。」氈幄言講幄也，而注云氈幄謂匈奴也。此是何解？《光武十王列傳贊》：「中山臨淮無聞夭喪。」無聞指中山，夭喪指臨淮也，臨淮未爲王而薨，無子國除，故云。若中山享國五十二年矣，而注概云「二王早終，名聞未著」，豈非囈語？劉攽謂《南匈奴傳注》最爲淺陋，不與前同，其實前後疏謬非一也。

陳寵曰：「蕭何草律但避立春之月，而不計天地之正，三王之春，實頗有違。」此亦元年改月並改時之一證也。

鼂錯峭刻，何比干從學刑名而以仁恕著聞，此與李斯之學荀卿正相反。

晋宋以還，將信之人即稱爲信。《隗囂傳》：「却後五年有詔來頓此亭，姓龔。」則奉詔之人即稱爲詔也。

信亦稱信人。《鮑永傳》注引《東觀記》曰：「遣信人馳至長安。」

張〔一四〕況族姊爲皇祖考夫人，謁見光武，光武大喜曰：「乃今得大舅乎。」大舅今稱舅公。

生而稱諱，末學之失。然漢宣帝詔曰：「聞古天子之名難知而易諱也。今百姓多上書觸諱以犯罪者，朕甚憐之，其更諱詢。諸觸諱在令前者赦之。」此亦是生而稱諱者也。

蔡邕《樊惠渠頌》曰：「京兆尹諱陵字德雲。」後歌曰：「貽福惠君，壽考且寧。」則是時樊亦未没也。豈漢已有此例耶？

杖策者，策杖而行。蕭琛少時見王儉著虎皮靴，策桃枝杖，直造儉坐，則古人於杖雖少年皆用之矣。《淮南子》：「白公勝慮亂也，罷朝而立，倒杖策錣上貫頤。」此策是馬捶，與此不同。

《宋書》謝靈運謂孟顗曰：「得道應須慧業，丈人生天當在靈運前，成佛必在靈運後。」慧業句，丈人二字屬下讀。如此則世所謂慧業文人皆誤也。劉義慶《世説》則曰「得道應須慧業文人，卿生天」云云，義慶宋人，當不誤，似沈約誤讀「文」爲「丈」而下遺一「卿」字耳。

宋時國學頹廢，置總〔一五〕明觀以集學士，或謂之東觀，置東觀祭酒一人。齊立國學遂廢。

宋於王儉宅開學士館，以總明四部書充之。

王儉孫承字安期，與晋王湛子名氏悉同。以湛是太原派故爾，若王筠子名祥則不可。筠亦覽後也。

謝方明、王志皆遣囚還家，一過正月三日，一過冬至節。

「聖朝建都燕山，民物日富，八九十歲翁敦茂龐碩，朝廷優之，徭役弗事，歲時得陛殿上，上皇帝壽，百官衣朝服鞠躬以進視，班次惟謹，毋敢越尺寸，而諸耆老高幘博褐，從容暇豫以齒後先，門者不敢誰何。視百官退，乃陟峻陛、承清光，歸而娛戲井陌，或騎或步，更過飲食，和氣粹如。大駕出則龐眉黃髮序勾陳環衛間，見者咸曰『樂哉太平之民也』。」此元王士熙《張進中墓表》。進中居京師，亦耆老之一也。進中字子正，善爲筆，管以堅竹，豪以鼬鼠。淇上王仲謀、上黨宋齊彥、吴興趙子昂皆與之游。以一筆工而數得持筆以入禁中，觀元盛時尊耆老之典，亦庶幾上庠下庠之風矣。

陸倕詩：「任君本達識，張子復清修。」時謂昉爲任君，以比漢之三君。君稱古人本甚重，而今則視爲泛常矣。

梁侍讀省仍置學士二人，到洽充其選，此後侍讀學士之緣始。

孔琳之建言：「傳國之璽，歷代遞用，襲封之印，奕世相傳。今世惟尉一職獨用一印，至於内外群官惟悉遷改，尋討其意，私所未達。愚請衆官即用一印，無煩改作。」案《漢書》：「朱買臣還郡邸中，稍見其印綬。」則知自漢以來一官輒易一印矣。琳之但言其終年刻鑄，喪功消實，若今日官府文移案牘惟憑印信，使一官一印則僞章日告，奸弊百出矣。大抵古時文案比今猶省，版牘之制此時尚存，非若後世關防之多，故其習得相沿久而不革也。案明初王彝《印説》：「古者一官一印，居則佩之，罷則解之，至晋始惜金銀銅炭之費，自是衆官皆一印。」觀琳之此疏恐未然。

《宋史·輿服志》：「熙寧詔，自今臣僚所授印，亡没並賜隨葬。不即隨葬，因而行用者，論如律。」此或其特恩，或因事而賜者。

宋制，凡官府印皆有銅牌刻文云：「牌出印入，印出牌入。」

韓文公送《楊少尹序》：「歎息知其賢以否。」「以」字自《文章正宗》已改爲「與」字。其《剥啄詩》「子不引去與爲波瀾」，方崧卿注云：「韓文『與』多作『以』。」朱晦庵云：「今案《陸宣公奏議》亦然，如云未審云云以否之類是也。然當作『與』爲正。」不知此是晋以後人語。《儀禮·饋食禮》：「主婦視饎爨於西堂下。」疏：「主婦不知視之以否。」褚淵改授司空，驃騎將軍司空椽屬，以彦回未拜疑應爲吏敬以否。高熲謂薛道衡曰：「今段克定江東以否？」《北史》秦王幹孫損告諸蠻曰：「爾鄉里作賊如此，合死以否。」《詩》「孑孑干旄」，疏：「諸侯以下旒數少而且短，維之以否。」此類不可勝述，蓋「以」猶「與」也。《詩》曰「不我以」。

褚炤譏褚淵名德不昌，遂有期頤之壽。淵死於齊太祖建元四年，時年僅四十八，炤所云尚在元年。淵拜司徒時，計其年纔得四十五歲耳。不忠不孝之人，人憎其壽，雖在壯盛不啻期頤，况於老而不死如張禹、孔光之徒，久玷史册，寧復可耐耶？

定祥案：此與後「予案」云云一條，即《未定稿》雜著中《褚淵》一則。

褚淵先世皆連婣晋室，而多輸誠於劉裕，淵之所爲，其祖宗貽謀也。

予案褚彦回雖輸誠齊主，然發其端者王儉也。儉、淵皆連婣宋室，門地相若，而披猖之罪獨歸一人，雖其弟其子亦有異論。惟何點云：「淵既世族，儉亦國華，不賴舅氏，遑恤國家。」至於《儉傳》，則史有濫美無抑詞焉。豈以褚曾受明帝顧命乎？沈攸之兵起，淵謂道成曰：「西夏釁起，事必無成，公當先備其内耳。」其言蓋指石頭。故劉祥有「不殺袁劉，安免貧士」之論。凡淵之獨受惡名者，以袁劉之死尤爲衆所憤也。

周顒深信佛理，終日常蔬。文惠太子問顒菜食何味最勝，顒曰：「春初早韭，秋末晚菘。」世傳爲佳話。然道家以韭爲五辛，葷穢不用，而顒終日長蔬乃稱爲菜中佳味，何耶？

顔之推奏請立關市邸店之税，以説後主。其人歷仕五朝，蓋能言而行事無足取者。

古人所爲避諱者，避其先人之名也。《記》云「婦諱不出門」，周宏正避侯景諱，改姓姫氏，焦度曰「汝知我諱明而呼明」，皆是也。而今人云輒避其家諱，不知古人用字之意矣。若俗人生而稱諱，更不必論。

李延壽《陰子春論》曰：「子春戰乃先鳴，幽通有助。」「幽通有助」指石鹿山蛇神事，戰乃先鳴，考《傳》竟無事蹟。獨同傳：「王琳將張平宅乘一艦，每將戰勝，艦乃有聲如野猪。故琳戰艦以千數，皆以野猪名。」移王琳之事以贊子春，史家乃有此謬。

顧歡早孤，讀《詩》至「哀哀父母」，輒執書慟泣，由是受學者廢《蓼莪》篇不復講焉。此事與王偉元絶類。

南朝釋子皆稱道人，黄冠則稱道士。《顧歡傳》：「張融作門律云，道之與佛，逕極無二。吾見道士與道人戰儒墨，道人與道士辨是非。」又《紀僧真傳》：「宋時道人楊法持，昇明中以爲僧正。」《夷貊〔一六〕傳》：「宋世名僧有道生道人，慧巖、慧義道人。」是也。然《晉書》「呂光戲鳩摩羅什曰『道士之操，不踰先父』」，則僧亦閒稱道士矣。

齊武帝云：「學士輩不堪經國，惟大讀書耳。經國一劉係宗足矣。沈約、王融數百人，於事何用。」此「大」字是「多」字義。孝文嘗閱故府，得舊冠，題曰「南部尚書崔逞制」，謂崔休曰：「此公家舊事也。」「事」字是「物」字義。

南北朝最重表親。盧懷仁撰《中表實録》二十卷，高諒造《表親譜録》四十餘卷，此風至唐猶存。

高允伯恭以昔歲同徵，零落將盡，感逝懷人，作《徵士頌》，合三十四人。其頌末曰：「昔因朝命，與之克諧。披襟散想，解帶舒懷。此欣猶昨，存亡奄乖。静言思之，中心尤摧。」亦後世敦厚同年之意也。

東漢同舉者謂之同歲生，見《李固傳》。《李士謙傳》曰：「謚子士謙。」而李孝伯名下注云：「李謚弟子士謙。」誤增一弟字。

「鄭子翻字靈雀，少有器識好文章，齊武平末位司徒記室參軍，尋遇齊亡，歷周隋遂不仕，隱居滎陽三窟山。傲誕不自羈束，或有所造，乘驢衣鶤破帽而往，遠近欽其高名，皆謂有異狀，觀者如堵。乃見形貌短陋，不副所聞，然風神駿發，無貴賤咸敬服之。楊素聞其名，因使過滎陽，迎與相見，言談彌日，深加禮重。及歸，言之朝廷，累徵不至，終於家。」予謂北朝革命之際，無一人能以一姓終者，獨子翻怡然風塵之表，觀其風致，大類淵明。南北朝數百年不事二君者，惟此兩人而已。又有沈重，仕梁，魏平江陵，乃留仕蕭詧，周武帝以重經明行修，致書禮聘，授露門博士，後表請還梁，梁主蕭巋拜重散騎常侍、太常卿，開皇三年卒，年八十四。重雖隨主受周爵，而始終仕梁，此儒生之最有氣節者。重武康人。又有魏長賢仕齊，爲上黨屯留令，辭疾去職，終齊代不復出仕。周武平齊，蒐揚才俊，辟書屢降，固以疾辭，卒年七十四，即徵之父也。房豹，齊滅遂還本鄉，邱園自養，頻被徵命，固辭以疾，其兄子彦謙齊亡亦竟不仕。周開皇七年，刺史韋藝固薦之，不得已應命。此亦稍得出處之正者也。彦謙，玄齡父。

劉芳表曰：「周之師氏居武即虎字門左，今之祭酒則周之師氏。」《洛陽記》：「國子學宫與天子宫對，太學在開陽門外。」案《學記》云：「古之王者建國君民，教學爲先。」鄭注：「内則設師保以教，使國子學焉。外則有太學庠序之官。」由斯而言，國學在内，太學在外明矣。

常爽述《六經略注》以廣制作，甚有條貫。其曰：「仁義者人之性也，經典者身之文也。」仁義人性一句，已發程朱之奥。爽教授門徒七百餘人，不事王侯，獨守閒静，講肄經典二十餘年，時號爲儒林先生。

李延壽《崔鴻傳》云：「鴻二世事江左，故不録僭晋、劉、蕭之書。」延壽唐人而予魏抑晉，誣妄如此，蓋以世爲魏臣也。

高洋天保末敬信佛法，乃至宗廟不血食，皆爲元海所爲。乃至以麪爲犧牲，使祖宗不血食，非獨梁武帝爲然，時南北成風相習，爲固然耳。

慕容儼守郢州城中，先有神祠一所，俗號城隍神，此城隍神始見史傳者。後梁武陵王紀祭城隍神，有赤蛇之異，見《隋書·五行志》。

周李孝軌封奇章公，隋牛弘封奇章公。

常山郡境有董卓祠，祠有柏樹，魏蘭根啓刺史請伐爲椁。秦中有二世祠，常山有董卓祠，金陵有蘇侯神祠元凶劭，拜神爲驃騎將軍，神即蘇峻。蓋三人皆强死者，古祭典有厲，此類是也。

蘇綽始爲文案程式，朱出墨入，至今沿之。

温子昇爲伏波將軍。

古人多省文，稱明日單用明字甚多。《北史·外戚杜超傳》：「明當入謝。」齊宣慈太后令：「明可臨軒。」唐詩：「明到湘山與洞庭。」猶之稱去年單稱去字，羊欣書「得去六月告」是也。《左氏》「其明月子産立公孫洩」云云，是來月亦稱明月也。

齊氏胄子以通經入仕者惟博陵崔子發、廣陵宋游卿而已。

徐遵明與劉獻之、張吾貴皆河北教授，懸納絲粟，留衣服以待之，名曰影質，教學之陋，自古已然矣。

《淮南子》曰：「斮才士之脛。」注：「剖解有才士脚，觀其有奇異。」與《尚書》異。

《覽冥訓》：「西南方曰編駒之山，曰白門。」注：「西南月建在申，金氣之始也，故曰白門。」以金陵爲白門本此。

《藝士傳》：「徐之才常與朝士出游，遥望群犬競走，諸人請令試目之，之才即應聲云：『爲是宋鵲，爲是韓盧，爲逐李斯東走，爲負帝女南徂。』」此段復見之《序傳》。是温子昇與李神儁語，當時傳聞之訛，亦失於檢正。

《淮南子·氾論訓》：「直躬其父攘羊而子證之，尾生與婦人期而死之。」是徑以直躬爲人名矣。然此説本於《吕氏春秋》。

《韓非子》「宋人有嫁子者」云云，其子竊而藏之，君公知其盗也逐而去之。君公，其舅之稱與？故婦人謂夫之兄曰兄公。

孫叔敖曰：「有寢邱者，其地巃石而名醜。」注：「今汝南固始縣前有垢谷，後有莊邱。」梁范柏年曰：「梁州惟有文川武鄉，廉泉讓水。」垢谷莊邱，正可與廉泉讓水作對。

蹇它，鄭人弦高之黨。

董徵遷安州刺史，因述職路次過家，置酒高會，乃言曰：「腰龜返國，昔人稱榮，仗節還家，云胡不樂？」誡子弟曰：「此之富貴非自天降，乃勤學所致耳。」與桓榮稽古之榮皆是老生陋態，遺嗤千古。

案，古博士亦作伴讀之稱。劉晝以宋世良家有書五千卷，求爲其子博士。晋孝武使徐邈授太子經，曰：「雖未敕以師禮相待，亦不以博士相遇也。」晋宋以來多使微人教授，號爲博士，故帝有云。

張景仁善草隸，侍中封王，自蒼頡以來，八體取進，一人而已。

顔之推齊末爲平原太守，後人但稱魯公爲顔平原。

《循吏傳》：「敬肅字敬儉。」以姓爲字，古所未聞，或本文衍敬字。

顔師古注《匡衡傳》，辨匡鼎曰，謂衡與人書不宜自稱其字。然魏崔頤與豫章王書曰：「祖濬燕南贅客，河朔惰游。」祖濬，頤字，以此答王，更不可解。

由吾道榮善洞視，蕭軌之敗，言之如目見，蓋即道家之所謂出神也。

王摩詰《游感化寺》詩：「鴈王銜果獻，鹿女踏花行。」劉須溪云：「若用《周禮》鹿女舛。」案《述異記》：「真山在毗陵，梁時有村人韓文秀見鹿生一女，因收養之，及長令爲女道士，武帝爲立觀，號曰鹿孃。」又：「海陵天目有五色鹿，産一女於山左，真人王治往觀之，見鹿乳焉，乃挈養於庵，至七歲爲築鹿女臺居之。治飛昇後，女南渡履江水而去。」王詩當用此，何至引羅氏之説耶？

陰壽子世師以不從義師見誅，而《北史》贊云：「陰壽遭天所廢，舍命無改。」「壽」當作「世師」。

齊張彫虎、隋韓擒虎皆複名。史避諱於韓，則稱擒而去虎字，於張則改爲武。然韓擒名著史籍，彫虎非《齊書》幾不知其原名矣。《文苑傳序》稱「常侍張彫與韓擒一例」，於此猶可會意。韓擒一作禽，《隋書》云禽本名擒虎。

「晉元旦元會於殿庭，設尊，蓋上施白獸，若有能獻直言者，則發此尊。」白獸尊乃杜舉之遺制也。

《輿服志》「由基一行」，蓋因善射爲名者。

《周禮》鄭注：鄮曰：「漢時蕭何所封南陽地，名鄮。」案，此音在何反，則非蕭何所封鄮邑。

疏「酏食，以酒酏爲餅」者，施粥也。以酒酏爲餅，若今起醪餅，起醪，猶今言發醪。

《儀禮·喪服》傳曰：「娣姒婦者，弟長也。何以小功也？以爲相與居室中則生小功之親焉。」注據《爾雅》「長婦謂穉婦爲娣婦，娣婦謂長婦爲姒婦」。疏據二婦互稱，謂年小者爲娣，故云娣弟，是其年幼也，年大者爲姒，故云姒長，是其年長。假令弟妻年大稱之爲姒，兄妻年小稱之爲娣。是以《左傳》云云，「穆姜云吾不以妾爲姒」，是據二婦身之少長[一七]爲娣姒，不據夫年爲大小之事也。案《禮》，婦人之坐以夫之齒，坐既依夫之齒爲上下，則稱自當依夫之齒爲大小。若以年之大小爲娣姒互稱，將弟婦坐於長婦之上，可乎？所謂名不正則言不順，言不順則事不成，兄弟之間必有不相安者矣。穆姜與叔向之嫂之言，或古者娣姒可通用[一八]，或娣姒相對則分大小，散文則娣亦可稱姒耳。賈、鄭、杜皆云兄弟之妻相謂爲姒，言其相謂皆舉長者之稱稱之，所以爲讓也，豈稱謂之實然哉？

姑之子，注「外兄弟也」，舅之子，注「内兄弟也」。疏云：「内兄弟者對姑之子。」案，此則姑之子當謂舅之子曰内兄弟，舅之子當謂姑之子曰外兄弟。而今人皆稱其妻之兄弟曰内兄弟，其俚謬甚矣。

「爲夫之從父〔一九〕昆弟之妻。」傳曰：「何以緦也？以爲相與同室則生緦之親焉。」疏曰：「言同室者直是舍同，未必安坐，言居者非直舍同，又是安坐。」案，親娣姒曰居室，堂娣姒曰同室。

「尊於户東，玄酒在西。」疏曰：「玄酒在西，尚之，凡酒酌者居左，左爲上尊。」《漢書》「上尊酒」，宜主此解。上尊酒醇醲，其用之貴重，與玄酒等。

注：「堂塗，謂階前，若今令甓裓也。」疏：「漢時名堂塗爲令甓裓。」令甓則今之磚

也。令音零，裓音階。

「齊高元榮學尚有文才，長於几案」，又「薛慶之頗有學業，閒解几案」，几案恐是案牘解。

李左車十四世孫恢字仲興，漢桓靈間高尚不仕，號有道大〔二〇〕夫。

古事人多相沿誤用。高唐之夢楚襄王也，而曰宋玉。百尺樓，劉玄德自擬也，而曰陳元龍。崔季珪僞爲曹孟德對客，而孟德捉刀立其旁，則崔假也，而今稱假倩者反曰捉刀人。石崇《昭〔二一〕君辭》序昔公主嫁烏孫，令琵琶馬上作樂以慰其道路之思，其送昭君亦必爾也，其造新曲多哀怨之音，故叙之於紙云爾。觀此則琵琶自是烏孫公主事，而所謂昭君琵琶者，特季倫之擬作耳，今人反以昭君爲故實，於烏孫之載在《漢書》者反置不用矣。是何異以退之之「天王明聖，臣罪當誅」，實爲文王《拘幽操》也。

校勘記

〔一〕「謂」，底本作「説」，據《四庫》本改。
〔二〕「買」，《四庫》本作「置」。
〔三〕「宫室」，《四庫》本作「后宫」。
〔四〕「氏」，《四庫》本作「疏」。
〔五〕「司民軒轅角也者」，底本原無，據《四庫》本補。
〔六〕「强」，底本作「雖」，據《四庫》本改。
〔七〕「下」，底本作「不」，據《四庫》本改。
〔八〕「中」，底本作「成」，據《四庫》本改。
〔九〕「輻」，底本作「轂」，據《四庫》本改。
〔一〇〕「舊」，《四庫》本作「有」。
〔一一〕此則《四庫》本有館臣案語：「謹案，此條與前三條自相矛盾。」
〔一二〕「功臣侯年表」，底本作「諸侯王年表」，據《四庫》本改。
〔一三〕「悙史」，底本作「史官」，據《四庫》本改。
〔一四〕「張」，底本作「郭」，據《四庫》本改。

〔一五〕「總」，底本作「聰」，據《四庫》本改。下則倣此。
〔一六〕「貊」，底本作「墨」，據《四庫》本改。
〔一七〕「身之少長」，《四庫》本作「年大小」。
〔一八〕「用」，《四庫》本作「稱」。
〔一九〕「父」，底本原無，據《四庫》本補。
〔二〇〕「大」，《四庫》本作「丈」。
〔二一〕「昭」，《四庫》本作「明」。

湛園札記卷二

宋制，狀元一月後率榜下士詣闕謝恩，謂之門謝，授承事郎，簽書某君節度判官廳公事。至後一科放進士榜，則前一科狀元召入爲祕書省正字，名曰對花召。宋時稱狀元謂之文魁，亦曰魁彥，見《文文山集》。

端陽前五日俱可稱端。文山以五月初二日生，稱此日爲端二。

十二月二十四日爲小年。文山詩注云：「小年夜詩曰『江鄉正小年』。」

張横渠謂《通書》如晬盤示〔一〕兒，百物具在，顧取者何如耳。「晬盤」，顔之推《家傳》謂之試兒，雜陳百物，任兒所取，以試其志向也。

《唐語林》:「駱駿者,度支司書手。」書手之名始見於此。

「中聖」之言出於魏之酒人鄒陽,《酒賦》:「清者聖明,濁者頑騃。」已胚胎此語。「中」平聲,亦有作去聲讀者。

中黄之義見於載籍者不一。曹植《寶刀賦》「鑒以中黄之壤」,謂中州黄土也。成公綏《天地賦》「羲和正轡於中黄」,謂中道也。張説《序曆》「蓋中黄之寶符,大紫之神器」,意與成公相近。張衡《南都賦》「中黄穀玉」,注引《博物志》謂石中子黄石脂也。《西京賦》「使中黄之士」,中黄,伯勇士也,見《尸子》。潘岳《籍田賦》「中黄曄以發揮兮」,謂車旗中間黄色也。《赭白馬賦》「效足中黄」,謂中營也。楊炯《少室山銘》有「中黄之素女」,對云「西華之紫妃」,則亦指其所居之山也。

孫作字大雅,以字行,一字次知。《豆腐詩序》:「菽乳本漢淮南王所作,其名不雅,予爲改今名,因賦是詩。」陸放翁詩「拭盤堆連展,洗鬴煮黎祁」,自注:「連展,淮人以名麥餅。黎祁，蜀名豆腐。」

沈約《安陸昭王碑》「南陽葦杖未足比其仁」，葦杖以代蒲鞭，可與宋子京篠驂作對。

《西京雜記》：「李廣見卧虎焉射之，一矢即斃，斷其髑髏以爲枕。鑄銅象其形爲溲器。」此即虎子之名所緣始乎？

傅介子年十四好學書，嘗棄觚而歎曰：「丈夫當立功絶域，何能坐事散儒？」棄觚與班生投筆相類。

文帝爲太子，立思賢苑以招賓客，中有堂隍六所。案《漢書·胡建傳》，堂皇乃射堂無四壁者，當與此不同。

趙曄《吴越春秋》十二卷，楊方《吴越春秋削繁》五卷，皇甫遵《吴越春秋傳》十卷。

應璩《百一詩》八卷，又李夔《百一詩》二卷。

王子晋之笙，其制象鳳形，亦名參差竹。《九歌》「吹參差兮誰思」，王元長《曲水序》「發參差於王子」，皆言笙。李善注則謂洞簫。

公孫聖伏地而泣，其妻大君從旁接而起之。大君、細君皆以名妻，亦閨閣佳話。

大唐宣政殿，周之中朝也，是謂正衙。紫宸殿直其北，是謂上閤。晋代有太極殿有東西閤，天子間以聽政。予謂成周三朝路寢之制，猶之晋唐入閤之制也。明朝聖節冬至大朝會則奉天殿，即古之正朝，常朝則奉天門，即古之外朝，而内朝獨缺。然華蓋、謹身等殿亦路寢之遺制。洪武初如宋濂、劉基，永樂間如楊士奇、楊榮輩，日侍左右奏對其中，較之於古，總稱便殿，實未嘗以此爲内朝也。

唐《裴坦傳》：「令狐綯薦坦知制誥，裴休持不可，不能奪。故事，舍人初詣省視事，四丞相送之，施一榻堂上，壓角而坐。坦見休，重媿謝。休咈然曰：『此令狐丞相之舉，休何力。』顧左右索肩輿出。」宋次道乃曰：「舍人上事，必設紫褥於庭，面北拜，廳閤長立褥之東北隅，謂之壓角。」宋丞相作《掖垣叢志》，亦不解其事，未知何者爲是。

劉越石答盧諶詩序：「然後知聃周之爲虛誕，嗣宗之爲妄作。」《蘭亭序》竟用此語。古人之不嫌祖述如此。然晋人祖尚玄虛，而越石獨喜建功業。逸少亦戒安石清談廢事，宜其有味於此言也。

《唐書・百官志》：起居郎二人，從六品，掌録天子起居法度。天子御正殿則郎居左，舍人居右，有命俯陛以聽，退而書之，年終以授史官。貞觀初以給事中諫議大夫兼知起居注，或知起居事，每仗下議政事，起居郎一人執筆記録於前，史官隨之其後。復置起居舍人分侍左右，秉筆隨宰相入殿。案，此則上所謂舍人居右者也，而歐陽公誤序之於前，當在此處見之爲是。若仗在紫宸内閤，則夾香案分立殿下，直第二螭首，和墨濡筆皆即坳處，時號螭頭。案，螭頭即郎舍人事也。時翰林未設，起居初不隸翰林，今翰林雖掌起居注，而竟以螭頭爲翰林故事，則謬矣。高宗臨朝不決事，有所奏惟辭見而已，許敬宗、李義甫爲相，奏請多畏人之知也，命起居郎、舍人對仗承旨仗下，與百官皆出，不復聞幾務矣。長壽中宰相姚璹建議仗下後宰相一人，録軍國政要，爲時政紀，月送史館。然率推美讓善，非其實，未幾亦罷。而起居郎猶因制敕稍稍筆削，以廣國史之闕。起居舍人本紀言之職，惟編書詔不及他事，復詔史官非供奉者皆隨仗而入，位於起居郎、舍人之次。及李林甫專權又廢。太和九年詔，入閤日起居郎、舍人具紙筆立螭頭下，復貞觀故事。

武德四年置修文館於門下省，九年改爲弘文館。貞觀九年詔，京官職事五品以下子嗜書者二十四人隸館習書，出禁中書法以授之。其後又置講經博士。武德後五品以上子曰學士，六品以上曰直學士，又有文學直館，皆他官領之。垂拱後以宰相兼領館務，號館主。案，此即明永樂二年選進士年少者爲庶吉士之意，而所謂學士館主者，即今之教習之官也。

崔玄暐母誡玄暐曰：「吾聞姨兄辛玄馭云，子姓仕宦有言其貧窶不自存，此善也。若貨貲盈衍，惡也。」本云好消息、惡消息，宋改之不成語，朱子《小學》引此段不用《新書》。

海南多穀紙，蕭倣敕諸子繕補殘書，子廩諫曰：「州距京師且萬里，得無薏苡嫌乎？」倣善之乃止。漢吴祐諫父寫書曰：「此書成，載之兼兩，懼以薏苡蒙謗。」兩兒識見略同。

瑯琊王沖坐逆誅，魏州人告尉顏餘慶預謀，令來俊臣鞫治，以反狀聞。有司援赦文當流，侍御史魏元忠謂餘慶爲沖督償，通書合謀明甚，非曰支黨，請誅〔二〕死籍其家。賴徐有功力争得免。元忠諂附女主，自同酷吏，其訐徐敬業曰「國之安危在此一舉」，蓋全無心肝者也。張昌宗誣陷而得賢者爲之昭雪，亦幸矣哉。

《崔融傳》：「朝廷大筆多手敕委之。」手字當在大字下。大手筆本出《晉書・王珣傳》，珣夢人以大筆如椽與之，既覺曰「此當有大手筆事」，俄武帝崩，哀册謚議皆珣所草。蓋六朝至唐皆以詩爲詩，以文爲筆，大手筆者謂高文典册大文字也。後謂「燕許大手筆」，則似竟爲宗匠之稱，景文疑之而因去手字爲大筆，殊不成語。裴延翰《樊川文集序》曰「大手短章」，大手謂長文字也。《陳書·陸瓊傳》「諸大手筆中敕付瓊」，王偁《東都事略·鄧潤甫傳》「兼掌皇子閤箋記，及一時大手筆獨倚潤甫焉」，此爲得之。

《張説傳》：「帝始欲授説大學士，辭曰『學士本無大稱，中宗崇寵大臣乃有之，臣不敢以爲稱』，固辭乃免。」後李泌加集賢殿崇文館學士，建言學士加大始中宗時，及張説固辭乃以學士知院事，至崔圓又加，亦引泌爲讓而止。

《李泌傳》述德宗不信陰陽巫祝，乃云：「及桑道茂城奉天事驗，始尚時日拘忌，因進用泌，泌亦自有所建明。」何其輕泌之甚也。泌嘗因帝言桑道茂城奉天事云「命當然」，力陳「君相造命，不當言命。言命則不復賞善罰惡矣」，至引桀紂爲喻，而豈借道茂之術以進身者哉？其諫肅宗欲廢太子，反覆數百言關宗社大計，則一切削去，其無所取裁而好爲異議如此。贄語因肅代時未及相，遂疑二主不以宰相器之，豈知鄴侯本意原不欲仕，力求還山，以德宗之堅留而後執政乎？留侯託於神仙之游，從來豪傑以此自晦，乃欲以蚍蜉之見妄議大賢，多見其不知量也。

韓文公《孔戣墓銘》：「嶺南以口爲貨，其荒阻處父子相縛爲奴，公一禁之。有隨公吏得無名兒，蓄不言官，有訟者，公召殺之。」案，無名兒即所謂相縛爲奴者，故不敢言於官而私蓄之，以其蓄取爲奴，故殺之非過。《唐書》乃云：「親吏得嬰兒於道收育之，戣論以死。」夫得道上棄兒而收蓄之，仁心善事也，反當之以死，是雖商鞅之令不酷於此，何反以爲美耶？不善爲文又不欲蹈襲前人，一下筆間遂變曾參爲盜賊。史筆之可畏，不必其用心之私能顛倒是非也。

華州刺史孔戣奏罷明州貢海味、淡菜、蚶蠣，而《元稹傳》復云「明州歲貢蚶，役郵〔三〕子萬人，稹奏罷之」，豈戣奏後已停而復貢耶？抑獨貢蚶之例未停耶？

楊嗣復遷禮部員外郎，時於陵爲户部侍郎，嗣復避同省換他官。有詔，同司親大功以上非聯判勾檢官長皆弗避，官同職異雖父子兄弟無嫌。案《百官志》，六尚書兵吏部爲前行，刑户部爲中行，禮工部爲後行，行總四司，以本行爲頭司，餘爲子司。而户部之制其後得以諸行郎官判錢穀，故嗣復雖禮部亦以嫌而引避。

《後漢·南蠻傳》：「哀牢夷知染采文繡，罽毲白疊。」注：「《外國傳》曰諸薄國女子織作白疊花布。」《唐書·西域高昌傳》有草名白疊，擷花可織爲布。則白疊是草，西南夷皆有之，恐亦是今木棉之類。又《南蠻傳》「婆利以吉貝横一幅繚於腰」，吉貝，草也，緝其花爲布，麤曰貝，精曰氎。

《吐谷渾傳》：「君集、道宗行空荒之二千里，閲月次星宿川，達柏海，望石山，覽觀河源。」案，此則星宿海之爲河源，唐時已有識之者矣。

《摩揭它國傳》：「太宗遣使取熬糖法，詔揚州取蔗拃瀋如其劑，色味愈西域遠甚。」此則中國用糖之始，以諸蔗爲糖，其法始於佛氏。然《吴志・孫休傳》已有甘蔗餳矣。

樂毅入齊，祀齊桓公、管仲，論者稱毅爲王者之師。是時田單起兵於安平，扶立襄王，而齊之義士多從之，毅卒不能下莒、即墨，以人情相安於故主耳。使毅明於大義，請於昭王，訪桓公之後而立之，人情必益感動，戴燕之德，而王業成矣。當時齊與韓、趙、魏皆非其舊，而秦、楚，夷也。獨燕爲周初封國，不立齊以自强，使田氏餘孽得乘其敝，舉全齊而盡復之，惜哉。

漢制，武帝以前，北軍屬中尉，領丞、候、司馬千人等官，至武帝又立中壘以下八校尉南軍，蓋衛尉所統，掌宫門衛屯兵。周勃入北軍，尚有南軍，乃先使曹窋告衛尉毋納吕産，然後使朱虚侯逐産殺之，以南軍屬衛尉故也。文帝即位，始置衛將軍，以宋昌爲之令，鎮撫南北軍。《漢書》曰「領北軍」。則中尉、衛尉之軍，皆受節制於衛將軍矣。此特初除宫危疑之際，權寄心膂於代來之臣，以防倉卒之變，而非必爲定制也。故前二年之詔，即罷其軍。至前三年，遣丞相發車騎八萬五千詣高奴，擊右賢王，復發中尉材官，屬衛將軍，軍長安。蓋衛尉禁兵不復隸矣。後十四年冬，匈奴寇邊，殺北地都尉，卭遣三將軍屯邊，而用中尉周舍爲衛將軍，當以有事暫設。自此年後至宣帝地節二年，始以張安世爲衛將軍，兩宫衛尉、城門北軍兵屬焉，復如宋昌之兼統南北軍矣。蓋用安世親臣，虞霍氏之變也。安世死，不復見衛將軍官，其罷之明矣。胡注因衛將軍重見，據《漢書》謂漢不罷衛將軍，《通鑑》傳寫逸一「軍」字。又於前三年「發中尉」之下注曰：「觀此益足以明罷衛將軍軍，而衛將軍之官不罷也。」然玩《漢書》所謂「罷衛將軍軍」者，罷其所將之軍，則並將軍亦罷之矣。所以然者，蓋國有大事，特設此官以統南北之軍，使事權歸一。及事變既定，則南北各歸其軍，中尉、衛尉仍分治之，所以防其權之太重，此漢之良法也。及後世之失也，京師偷惰，禁軍驕横，其爲禁軍者多中官寵帥主之，而大將之威令有所不能行矣，此能分而不能合之病也。及其功成求得，大將久握重兵於外，根柢蟠固，專恣自用，而天子尺一之詔不足以收之，此能聚而不能散之病也。然後知漢文倉卒之制，操縱合宜，其所以經久而慮變者如此其精，論者固不足以盡之矣。

賈誼上疏，憂淮陽、代二國邊外不足恃，願舉淮南地以益淮陽而爲梁王立後，割淮陽北邊二三列城與東郡以益梁。不可者，可徙代王都睢陽。梁起於新鄭而北著之河，淮陽包陳而南揵之江，則大諸侯之有異心者，破膽而不敢謀，梁足以扞齊、趙，淮陽足以禁吴、楚，陛下高枕，無山東之憂矣，此二世之利也。其後吴、楚反藉，梁扞不得西，卒以此破散，世皆稱賈誼先見之功。然梁王封國至四十餘城，遂恣行不法，反端已見，賴田叔之言，幸不及誅。七國始破，而勝亦憂死矣。賈生之言，亦見遠而不能自見其睫者也。且生以齊、趙、吴、楚爲疏屬而勸帝厚植其子，不知一再傳而後，其視梁代亦猶今之視吴、楚、齊、趙耳。故與其謀再世之利，不如爲帝建萬世之策也。

《賈誼傳》以能誦《詩》、《書》屬文稱於郡中。此時《詩》、《書》未出，誼之所誦豈别有本耶？吴公稱誼頗通諸家之書，誼必嘗師受其學，而吴公學於李斯，斯學於荀卿，故或謂誼受左氏學於荀卿，其淵源蓋如此。不然，誼當吴公爲守時，纔年十八，計其生時去漢興已十餘年矣，安得及荀卿而學之？若《詩經疏》謂孫卿，毛氏之師。毛萇武帝時人，或大毛公生年先於賈耳。

定祥案：此上「樂毅」一則，「南北軍」一則，「賈誼」二則，本《未定稿》雜著十二條之四，因雜著他條既多散見此編，故此四則今亦並入。又此下「後漢袁紹」一則，《未定稿》原次亦相屬。

後漢中平六年，袁紹勒兵收諸閹人，無少長皆斬之。少帝立，初令侍中、給事、黄門侍郎員各六人，賜公卿以下至黄門侍郎家一人爲郎，以補宦官所領諸署，侍於殿上。《獻帝起居注》曰：「自誅黄門後，侍中、侍郎出入禁門，機事頗露。由是王允乃奏侍中〔四〕、黄門不得出入。」不通賓客，自此始也。初何進與袁紹定謀告太后，太后曰：「先帝新棄天下，奈何令我楚楚與士人相對事乎？」其後曹操欲廢伏后，以尚書令華歆副郄慮勒兵入宫收后，歆牽后於壁中執之出。使此時各中官守禦宫禁，此輩雖跋扈，安能排闥竟入耶？故弊去太甚而已，盡除宦官改用士人，古無是理也。又案李固對策：「宜罷退宦官，去其權重，裁置常侍二人方直有德者省事左右，小黄門五人才致閒雅者給事殿中。」以天子之左右而僅留宦官七人爲之使令，斯已難矣。固又言：「兼采微賤宜子之人進御至尊，若有皇〔五〕子，母自乳養，無委保妾醫巫，以致飛燕之禍。」欲天子妃嬪自乳其子，此富民之家所不能者也。矯枉過甚，豈可行乎？

定祥案：此即《未定稿》雜著中「後漢」一則。

《蜀志》：「諸葛瞻爲翰林中郎將。」以翰林名官始見於此。

李翱《答王載言論文書》曰：「假令述笑哂之狀曰莞爾，則《論語》言之矣。曰啞啞，則《易》言之矣。曰粲然，則穀梁子言之矣。曰逌爾，則班固言之矣。曰囅然，則左思言之矣。」囅然而笑見《莊子》，左思襲莊，李乃誤引。

《詩》言兄弟曰「如壎如篪」。《樂志》曰：「如壎爲宮而篪之徵和，壎爲商而篪之羽和。」蓋他音一音各爲一節，獨壎篪二音同爲一節，和之至也。案《詩》比妻子曰「如鼓瑟琴」，《禮·明堂位》有大琴、大瑟、中琴、中瑟〔六〕，凡用大琴必以大瑟配之，用中琴必以中瑟配之，然後大者不陵，細者不抑，而五聲和，蓋取其相配以爲和也。古人之取義亦精矣。

《宋史·樂志》釋詩者以壎篪異器而同聲〔七〕，然八音孰不同音〔八〕，必以壎篪爲況。嘗博詢其音，蓋八音取聲相同者唯壎篪爲然。壎篪者六孔而以五竅取聲，十二律始於黄鐘，終於應鐘者，其竅盡合則爲黄鐘，其竅盡開則爲應鐘，餘樂不然，故惟壎篪相應。又案，古者大琴則有大瑟，中琴則有中瑟，有雅琴、頌琴，則雅瑟、頌瑟實爲之配，亦取琴瑟相合之義。

《爾雅》曰「徒鼓瑟謂之步」，蓋以其無章曲如行者之舍車而步也。今人作詩次人之韻亦曰步，於義爲反，而猶不失自謙之意，亦如無章曲者然。《爾雅》又曰「徒吹謂之和」，亦與和歌之義相反。

《洪範》五福六極無貴賤，蓋古無不肖而貴，亦無有德而賤者。貴則禄及之而富矣，故富可以概貴。賤則禄弗及而貧矣，故貧可以概賤。《周禮》八柄馭群臣，二曰禄以馭其富，六曰奪以馭其貧是也。

孫權年十五，吴郡太守朱治舉爲孝廉，及爲吴王，治每進見，權常親迎執版交拜，饗宴贈賜，恩敬特隆。至從行吏皆得奉贄私覿，其重舉主如此。後權嘉陸遜功，欲殊顯之，雖爲上將軍列侯，猶欲令歷本州舉命，乃使揚州牧吕範就辟别駕從事，舉茂才，此即後世朝官賜出身之意。科目之重，相沿久矣。

吴孟宗爲孫琳告廟廢吴主亮，李密降魏謂蜀爲僞朝，王祥雖不拜司馬而終事二姓。自古孝子未必忠臣，淑媛未必烈女，殆是天地間一欠事。

宋文帝時員外散騎侍郎孔熙先與范蔚宗謀逆，事露付廷尉。熙先望風吐款，辭氣不撓，上奇其才，遣人慰勉之曰：「以卿之才而滯於集書省，理應有異志，此乃我負心也。」又責前吏部尚書何尚之曰：「使孔熙先年將三十作散騎郎，那不作賊。」此與唐武后之見駱賓王討己檄文曰：「有才如此而使之淪落不偶，宰相之過也。」皆綽有帝王之度，足令才士心死。若梁元帝欲赦王偉，却不可同年而語。

案，散騎常侍，集書省官也，蕭子顯曰：「自散騎侍郎及通直、員外、給事中、奉朝請、駙馬都尉，皆集書省職也。」

裲襠本作兩當衫。薛安都戰惟著絳衲兩當衫，前當心，後當背也。

劉裕賜王鎮惡爵漢壽子。漢壽廢縣在常德府治武陵縣東四十里。

沈慶之議北伐曰：「今欲伐國而與白面書生謀之，事何由濟？」後斥顔峻曰：「今舉大事而黄頭小兒皆得參預，何得不敗？」白面、黄頭，恰可相對。

杜預朝野稱美曰杜武庫。又周弼謂裴頠若武庫，五兵縱横。又裴楷目鍾會如觀武庫，森森但見矛戟。

王導倚敦殺周顗，戴淵與之同逆。後錢鳳再舉犯闕，導與王含書曰：「昔者佞臣亂朝，指刁協、劉隗。人懷不寧，如導之徒，心思外濟。」然則敦之攻陷石頭，蓋亦導之本懷也，至是不覺情見乎辭矣。使有《春秋》之筆以趙盾之書法討之，導亦何辭？

《五代史志》：「後魏每攻戰克捷，欲天下聞知，乃書帛建於竿上，名曰露布。」此露布所從始。太和中韓顯宗戰勝至新野，文帝謂顯宗曰：「卿破賊斬將，殊益軍勢，朕方攻堅城，何爲不作露布？」是也。魏主稱傅永上馬能擊賊，下馬作露板，惟傅修期耳。後元英破義陽，使司馬陸希道爲露板，嫌其不精，命傅永改之，永不增文采，直爲之陳列軍事處置形要而已，英深賞之。以此觀之，則露板自有體要，亦當時所甚重也。

望楚山在襄陽府南八里，本名馬鞍山。山麓與峴山接，所謂馬鞍山道也。《水經注》曰：「劉宋武陵王駿屢登陟，望見鄢城，故名。」同一山也，峴以叔子游賞，至今名重，而望楚之名人無得而稱焉。

漢文翁作講堂，立石室，一曰玉堂。《黄圖》有大玉堂、小玉堂。

五馬相傳不同。《潘子真詩話》：「天子六馬，左右驂。三公九卿駟馬，右騑。漢制，九卿則中二千石亦右驂，太守駟馬而已，其有加秩中二千石乃右驂。故以五馬爲太守美稱。」《遯齋閒覽》及《學林》云：「漢時朝臣出使爲太守，增一馬。」宋人《五色線集》：「北齊柳元伯，五子同時領郡，時五馬參差於庭，故時人呼太守爲五馬。」

世傳杜鵑爲望帝之魂，語頗不經。《華陽國志》曰：「帝禪位於開明，升西山隱焉。時適二月，子規鳥鳴，故蜀人悲子規鳥鳴也。」此説頗雅馴。

大唐宣政殿，周之中朝也，是謂正衙。紫宸殿直其北，是謂上閤。晋代有太極殿，有東西閤，天子間以聽政，閤之名始於此。

《方言》：「華，荂也。宋齊之間或謂之華，或謂之荂。」荂音誇，《莊子》「黄荂」注失引。

《康王之誥》注引鄭氏曰「周禮五門」云云，外朝在路門外，則應門之内蓋内朝所在也。不知應門之内即路門之外，此曰治朝以對路寢庭之朝而言，故亦曰外朝。其實正名外朝，在雉門之内，庫門之外。蔡氏既誤，而明初《書傳會選》亦未能改正。

貢師泰《重修定水教忠報德禪寺之碑》云：「距慈谿縣四十五里，鳴鶴山之陽，槖駝峰之東，有寺曰定水，爲大梅常禪師開化之地。所藏《大藏經》乃唐人書，吏部侍郎京兆韓籽材爲之記。」今吾邑志不載此段，《大藏經》亦不知毁於何時。

「商容」，鄭氏曰：「商家樂官知禮容，所以禮署稱容臺。」案《儒林傳》：「魯徐生善爲頌，容同。孝文時以頌爲禮官大夫，傳子至孫延襄，襄亦以頌爲大夫，至廣陵内史。」諸言禮爲頌者由徐氏容臺之名當本此，鄭箋多附會。

楊太真常以假髻爲首飾，而好服黄絹。諺曰：「義髻拋河裏，黄袍〔九〕逐水流。」按義髻即假髻，猶假兒謂義兒也。

摯虞《文章流別集》三十卷，此選文之祖也。宋元嘉《宴集游山詩》五卷，此宴會游賞詩集之所祖也。顏峻《婦人詩集》二卷，此《玉臺新詠》之所祖也。干寶《百志詩集》五卷，崔光《百國集詩》二十九卷，此選諸家詩之祖也。

漢中王瑀聞康崑崙奏琵琶，曰「琵聲多，琶聲少，是未可彈五十四絃大絃也」。樂家以自下逆鼓曰琵，自上順鼓曰琶。

肅宗與李泌談建寧王事曰：「事已爾，末奈何。」末奈何，此今俗語也。

據史所載，唐自代宗而下公主有〔一〇〕再嫁者，至宣宗遂詔夫婦教化之端，其公主、縣主有子而寡，不得再嫁。

貞觀四年，使唐儉馳傳往誘突厥使歸款，頡利許之，兵懈弛，李靖因襲破之，儉脱身歸。此與韓信破齊相類，但儉幸不爲酈生耳。韓、李皆一代飛將，而以不義取之，足玷史册。

《魚朝恩傳》：「大臣子弟二百人，朱紫雜然爲附學生，列廡次。」太宗時嘗增廣生員。

《西域泥婆羅傳》：「遣使入獻波棱、酢菜、渾提葱。」

環即古林邑，有鳥名結遼。愚意即秦吉了。

兩頭蠻，吐蕃譏南語，今諺猶用之。

「八十九十曰耄，七年曰悼。」先太常謂當是八十曰耄，九十曰悼。某案，據文每十年一變稱，無緣於八十九十同稱曰耄，而於中忽插以七年曰悼。且七年正近幼學之期，稱之以悼何其不祥耶？況九節俱是成數，則七年之爲九十無疑，而上句「九十」二字宜删矣。

疏：「天子春夏受朝宗則無迎法，受享則有之。故《大行人》云：『廟中將幣三享。』鄭云朝先享，不言朝者，朝正禮，不嫌有等也。若秋冬覲遇一受之於廟，則亦無迎法。故《郊特牲》云：『覲禮天子不下堂而見諸侯。』明冬遇依秋也。」「春朝受圭玉於朝，受庭實於廟，生氣，文也。秋覲一並朝享皆廟受之，殺氣，質也。朝禮升朝之時，王但迎公，自諸侯而下隨之而入，更不別迎。據熊義，朝無迎法，惟享有迎。」案，《禮器》稱夷王下堂見諸侯爲失禮，是單指覲禮，若朝宗行享禮，天子於諸侯固有下堂而見之時也。

定祥案：此節《未定稿》雜著中《戴記》第一則。

「御食於君，所器之溉者不寫，其餘皆寫。」注：「寫者，傳己器中乃食之也。」吾鄉俗以斟酒爲寫酒，蓋亦有所本云。

《石崇傳》「以飴澳釜」，澳音奥。胡氏注：「明台人謂以水沃釜曰澳。」予鄉亦至今猶然。

伯魚之母死期而猶哭，孔子曰：「誰與哭者？」鄭注：「與音餘。」先問誰與，後云哭者，倒裝文法，恰似驚問情狀。

《正義》：「鄭注《淮南子》云：『舜征三苗而遂死蒼梧。』案《尚書》竄三苗於三危，在西裔，今舜征三苗乃死於蒼梧者。張逸答巢氏問云：『初竄西裔，後分之在南野。』」愚按，《書》稱舜舞干羽而有苗格矣，安得復有征苗之事？《史記》云舜踐帝位三十九年，南巡狩崩於蒼梧之野，葬於九疑山，是爲得之，非征有苗而死也。鄭氏解經於難通處每以意揣，此不足據也。

「幼名冠字，五十以伯仲，死謚，周道也。」《疏》：「冠字者，人年二十有爲人父之道，朋友等類不可復呼其名，故冠而加字。至五十者耆艾轉尊，直舍其二十之字以伯仲別之，至死而加謚。」又曰：「《士冠禮》已有伯某甫仲叔季，此言五十以伯仲者，二十之時雖云伯仲，皆配某甫而言，此即鄭所謂且字〔一二〕也。五十之時直呼伯仲耳。」案，此則今世俗之於某字配以老與翁字者施之於五十以上之人，猶爲不失古意，而突而弁兮概以稱之，何也？

「公叔文子升於瑕丘，蘧伯玉從文子曰：『樂者斯丘也，死則我欲葬焉。』伯玉曰：『吾子樂之則瑗請前。』」此段文疏無明解。劉氏曰：「吾子樂此則我請前行以去子矣，惡其將欲奪人之地，自爲身後計而譏之。」若是則其訐已甚，猶得謂之長於諷諭乎？蓋其微辭猶云「吾子欲葬此地，則人誰不樂此者，吾請前死以葬之矣」，語似詼諧而意甚切直，殆可謂之婉而多風。

惡疾無子，婦人之不幸，義雖當去，獨無可以善處之法乎？《禮》注：「姆，婦人五十無子，出而不復嫁，能以婦道教人者，若今時乳母矣。」夫能以婦道教人是爲賢婦，與賢婦同處三十年既老而出之，聽其爲人乳母，非義所安。予讀商陵穆子之操而悲之，知古人其亦有不得已者也。淫與竊盜，雖更三年之喪焉得不去，况前貧賤後富貴乎？古無生而富貴者，故有士冠禮，無諸侯冠禮。士四十强仕始受禄，有采地，前此皆貧賤之日也。然未仕則有分田以自給，藝成行立，書於州黨，則取於上者有必得之理。故其貧賤也不必戚，而其富貴也不足驚。今日前貧賤後富貴，是徒習見夫蘇秦、朱買臣之屬驟得意於困阨日久之餘，所以夸耀其妻子者，而不知先王之世無是也。《戴記》「七出」、「三不去」之説皆不足信。

曾子問昏禮既納幣一條曰：「壻已葬，壻之伯父致命曰：『某之子有父母之喪，不得嗣爲兄弟，使某致命。』女氏許諾而弗敢嫁，禮也。壻，免喪，女之父母使人請，壻弗取而後嫁之，禮也。女之父母死，壻亦如之。」辨之曰：父母死，昏禮不行禮也，待之三年而弗敢嫁，乃所以求嗣爲兄弟者。既三年免喪矣，然且弗取焉，其諸非父母之喪故耶？不然，可以嗣爲兄弟矣，而復弗取，於義無所取爾也。《禮》女子許嫁，笄而施纓，所以明繫屬於人之義，雖未嘗共牢合卺，已有相爲夫婦之道焉。《雜記》曰：「女未許嫁，年二十方笄，燕則鬈首，鬈首者猶以少者禮處之也。」許嫁之於禮若是乎其重也。今許嫁而復止，鬈首與，不鬈首與？不鬈首則異乎其未許嫁也，鬈首則如之何成人而復少之也？婿免喪與女免喪既遲之三年矣，使復許嫁一人，而婿之父母死或女之父母死，將必復遲之三年，遲之三年，又不免於改字以聽諸不可知之三年之喪，於古者二十而嫁之年無乃逾之已遠乎？且一女子也，偃蹇數夫之閒，辱莫大焉。先王之制爲昏禮也，所以成男女之别而立夫婦之義，一與之齊，終身弗改矣，豈其未嫁而先毁之防也？吾聞之也，昏禮納采、問名、納吉、納徵、請期，皆主人聽命於廟而後行事，所以敬慎重正昏禮也。今既納幣有吉日矣，是已嘗納采、問名、納吉於廟而重之祖宗之命矣，固不可以亟取而亟辭之若是其輕也。吾意此非夫子之言，記者之過也。然則如何？吾聞之《内則》曰：「女子十有五年而笄，二十而嫁，有故二十三年而嫁。」此有故者，明是指女遭父母及婿遭父母之喪而言，除喪三年適二十三年矣。二十三年而嫁與二十而嫁同文，故知非婿弗取而改嫁也，是爲得禮之正而已矣，曰三年弗取而後嫁之，非禮也。故曰此非夫子之言，是記者之過也。

定祥案：此上二則即《未定稿·辨戴記》二條。

魯莊公薨，子般爲共仲所弑，而陳澔注魯莊公之喪則曰：「莊公爲子般所弑。」趙文子謂隨武子謀其身不遺其友。」至記者記所舉於晉國管庫之士七十有餘家，謂趙文子也，而注曰：「知其賢而舉之，即不遺友之實。」仍指隨武子，其疏謬類如此。

「天子之縣内」注：「縣内，夏時天子所居州界名也。」案，漢時稱縣官宜本此。

疏云：「《虞書》五流有宅，五宅三居是也。」考鄭注云：「宅讀曰咤，懲刈之器〔一二〕。五咤者是五種之器，謂桎一，梏二，拲三。」案，《書·五刑》一章即是有虞律法，其刑具略見於此。

《王制》：「司徒命鄉簡不帥教者，至四不變然後屏之。樂正簡不帥教者，止於二不變遂屏之。」鄉民愚而其分卑，故其退之也以漸，愚可矜也，其進之也亦以漸，卑不可躐也。若王子公卿之子，其習於教也久矣，而猶不帥，則再不變而棄之何疑。至於學成而進之，則一朝而爲造士，非過也。此先王因人施教之法也。陳氏則謂衆庶之家爲易治，故鄉遂之所考常在三年大比之時。世族之家爲難化，故國子之出學常在九年大成之候。以三年之近而考焉，故必四不變而後屏之，以九年之遠而簡焉，則雖二不變屏之可也。其説似矣。然吾未聞先王之世公卿之子弟薰陶仁義、漸摩《詩》、《禮》，而其難化猶甚於衆庶之家也。

「大學正論造士之秀者，以告於王而升諸司馬，曰進士。」此文承王子公卿大夫之子下，似專據王子等，其實鄉人入學爲造士者，亦同於此。其鄉人不在學者及邦國所貢之士，亦當升諸司馬。以司馬掌爵禄，故有司士屬焉。其職曰以德詔爵，以功詔禄，即知但入仕者皆司馬主之，下文更不見鄉人及邦國所貢之士，故知此中兼之，但文不具耳。劉氏曰：「鄉學秀者之升曰選士，國學秀者之升曰進士。其選士者不過用爲鄉遂之吏，而選用之權在司徒也。其進士則必命爲朝廷之官，而爵禄之定，其權皆在大司馬。此鄉學、國學教選之異，所以爲世家編户之别。然庶人仕進亦有二道，可爲選士者司徒試用之，此其一也。司徒升之國學，則論選之法與國子弟同矣，此其二也。」近世邱氏亦主此説，恐未然。

《禮運》：「是故夫政必本於天殽以降命，命降於社之謂殽地，降於宗廟之謂仁義，降於山川之謂興作，降於五祀之謂制度。」《正義》曰：「上既云必本於天殽以降命，此亦當云必本於地殽以降命，但上文既具，故此略而變文，直云命降於社之謂殽地，上云命降於社之謂殽地，亦當云命降於祖之謂殽廟，以上文既具，故此又略而變文。」《正義》此段論最妙，乃作文换句之法也。

鄭云：「社祀后土配以勾龍稷，祀神農配以后稷。」又云：「一歲祭社有四，其一爲孟冬，祈年於天宗，即蜡臘也。」案，蜡祭「先嗇」注訓「神農」，祭「司嗇」注訓「后稷」，是祭稷非祭社也，先儒無辨其説者。

《郊特牲》「丹漆雕幾之美」，注：「幾謂漆飾沂鄂也。」案，沂鄂恐即垠堮之意，謂器棱角也。

《内則》「右佩紛帨」云云，疏：「皇氏云以右廂用力爲便，故佩大物。」此人身左右亦得稱廂也。後又云：「此刀大於左廂刀。」

《内則》：「姑舅若使介婦，毋敢敵耦於冢婦。」注：「雖有勤勞，不敢掉磬。」《正義》云：「齊人以先絞訐爲掉磬。」

《玉藻》「玄端而朝日於東門之外」，注：「端當爲冕字之誤。」《正義》曰：「知端當爲冕者，凡衣服皮弁尊，次以諸侯之朝服，次以玄端。案下『諸侯皮弁聽朔朝服視朝』，是視朝之服卑於聽朔。今天子皮弁視朝，若玄端聽朔，則是聽朝之服卑〔一三〕於聽朔，與諸侯不類。且聽朔大視朝小，故知端當爲冕。又案《王制》云『周人玄衣養老』，注：『玄衣素裳爲諸侯朝服。』注云玄衣則此玄端也，若以素爲裳則是朝服，此朝衣素裳皆得謂之玄端，若天子諸侯以朱爲裳，則皆謂之玄端，不得名爲朝服也。」案，前云次以玄端在諸侯朝服之下者，乃是朱裳，故爲最下。

「古之教者家有塾，黨有庠，術有序，國有學。」疏：「鄭注州長職云：『序，州黨之學，則黨學曰序。此云黨有庠者，鄉學曰庠，故《鄉飲酒》之義云『主人拜迎賓於庠門之外』，注云：『庠，鄉學也。』『州黨曰序』，注云：『黨有庠者，是鄉之所居，言黨附鄉也。黨爲鄉學之庠，不別立序，凡六鄉之內，州學以下皆爲庠，六遂之內，縣學以下皆爲序也。』」案，此州學爲庠，近今之府學，遂學爲序，近今之縣學。陳澔改術爲州，州之學曰序，《周禮》「鄉大夫春秋以禮會民而射於州序」是也。然州黨曰序，序兼屬黨，鄉學曰庠，則上黨字又難通。

《喪大記》：「紞以組類爲之，綴之領側，若今被識矣。」案，被頭別施帛爲緣，呼爲被池。宋子京詩「春寒到被池」是也。

《月令》「季秋之月合諸侯制百縣，爲來歲受朔日，與諸侯所税於民輕重之法、貢職之數」云云。陳集注：「舊説秦建亥，此月爲歲終，故行此數事者得之。」愚案，此書不用周正而以建寅爲月令之首，是已，知夏正之得時矣，何故復有建亥之意乎？季冬之令曰：「數將幾終歲，且更始。」故知其終以夏時爲準矣。又曰：「天子乃與公卿大夫共飭〔一四〕國典，論時令以待來歲之宜。」此真歲終事也。若受朔與貢税，將分命諸侯以頒之百縣，非一時所可遍，故必預備之於三月之前而後及事，豈以九月之爲歲終然哉？蓋不韋爲相，大集群儒以爲此書，諸儒當戰國分争，樂殘禮廢之後，尚有區區抱遺經以冀復古制者。其後共議封建，非笑始皇，事不師古而被坑者，即此輩也。彼欲依不韋以行先王之法度，其見固已迂矣，而况欲伸其説於李斯焚書之世哉？悲夫！

《文王世子》第五節「文王之爲世子也」七字，石梁王氏謂衍文，劉氏强解不通。予謂當在第三節「武王帥而行」之上，恐是錯簡。後「教世子」三字，石梁亦謂衍文。予謂「三王教世子」前蓋是舊來〔一五〕篇名，記者失於删去耳。

「天子大蜡八。」注：「先嗇一，司嗇二，農三，郵表畷四，貓虎五，坊六，水庸七，昆蟲八。」案，八蜡之祭本以其有功而報之，昆蟲何功焉？且祝辭曰「昆蟲毋作」，而反祭之與？《記》分疏八者於下，曰祭〔一六〕先嗇、司嗇，饗農及郵表畷、禽獸，迎貓迎虎，而未嘗及昆蟲。知王肅分迎貓爲一事，其説不可易矣。蘇氏云迎貓則爲貓之尸，迎虎則爲虎之尸，亦不及昆蟲可見。若昆蟲有尸，當作何像耶？或云《周禮》族師「春秋祭酺亦如之」，注：「蝝螟食穀之蟲，此神能爲灾害，故祭以止之。」則祭昆蟲者亦祭其神也。然此説與記〔一七〕、注俱鄭自爲之，不可信。果有祭神之禮，則《大田》之詩何必復祈田祖畀炎火耶？

定祥案：此即《未定稿》雜著中《戴記》第二則。

《内則》疏「芝栭」，應是一物。今春夏生於水，可用爲菹，其白者不堪食，疑即今之菌也。

「奔則爲妾」，當是「二月會男女，奔則不禁」之時也。若桑間、濮上乃王法所必加，何妾之有？

《論語》凡有若曾子門人之所記，則必稱子。《禮運》陳注云：「疑出於子游門人之所記。」然首尾皆稱言偃，其非子游門人所記可知。

「君與尸行接武，大夫繼武，士中武。徐趨皆用是，疾趨則欲發而手足毋移。」徐趨對下疾趨，則趨猶行也。言徐趨，君、大夫、士皆宜依此禮而行之，若疾趨則不必以接武、繼武、中武爲拘，而手足則不可改其常武〔一八〕耳。注解徐趨爲或徐或趨，則於疾趨說不去。

「大夫次於公館以終喪，士練而歸，此邑宰之士。士次於公館，此朝士。大夫居廬，士居堊室。此亦邑宰。」倚廬即公館，大夫、朝士皆居公館終喪，而邑宰居堊室至小祥始還治。不知當時大小職業何以爲理，三年諒陰，子張已疑之矣。

「大白冠、緇布之冠，皆不蕤。委武，玄縞而後蕤。」委武皆冠之下卷，秦人呼卷爲委，齊人呼卷爲武。玄縞二冠既別，有冠卷則必有蕤，故云「委武玄縞而後蕤也」。前云「喪冠條屬」，注云「以一條繩屈而屬於冠以爲武」，是喪冠有武而無蕤也。此云「既別有冠卷，則必有蕤」，似有武必有蕤，與前不同矣。然玩注一別字，蓋喪冠纓與武共一繩，若吉冠則纓與武各一繩。各一繩是別有冠卷也，故必有蕤。

「父有服，宫中子不與於樂。」子齊衰之服期而畢矣，亦與父同有服乎？《正義》曰：「若重服則期後猶有子姓之冠，自不得與於樂。」此説最明。所謂子姓之冠，《玉藻》云「縞冠玄武。」

「七月日至可以有事於祖。」七月日至僅可有事於祖，知《周禮》「夏至祭地」之説蓋妄。

《深衣篇》「純、袂、緣、純邊，廣各寸半」，疏：「袂者，純緣也。爲〔一九〕純其袂緣，則袂口也。」又云：「緣讀爲緆，謂深衣之下純也。純邊者，謂深衣之旁側也。廣各寸半者，言純、袂口及裳下之緆並純旁邊，其廣各寸半。」依此讀則純句，袂句，緣句，純邊句。

《鄉飲酒禮》「閒歌三終，合樂三終」，疏〔二〇〕：「笙與歌皆畢則〔二一〕堂下與堂上更代而作，堂上先歌《魚麗》，則堂下笙《由庚》，此爲一終。次則堂上歌《南有嘉魚》，則堂下笙《崇丘》，此爲二終。又其次堂上歌《南山有臺》，則堂下笙《由儀》，爲三終也。」案《由庚》、《崇丘》、《由儀》，即《魚麗》、《嘉魚》、《南山有臺》之譜，故有聲無辭，非闕也。《南陔》、《白華》、《華黍》亦猶是也。

《燕義》「古者周天子之官有庶子官」一節，確是誤入《燕義》者。吴幼清《儀禮傳》以第二節起而移此節於末，蓋因後有「獻世子」句，所以附釋庶子之義耳。然畢竟歸之《周禮》爲正。

《周禮》「使萬民觀治象」，故無刑，小宰「帥〔二二〕治官而觀治象之灋」，故悚之以常刑。又以大刑警於宫中也，令於百官府，疑單指宫中之官。

案，太宰所掌八法、八則、八柄、八統，此治典之大綱，九賦、九貢、九式，此理財之常法，而九兩繫邦國之民，則又不獨理財矣。歲終詔王廢置，三年大計誅賞，合群吏之職掌而受治也。小宰掌職其貳，以贊冢宰。宰夫合群吏，正歲會月要日成治，其不時舉者以告冢宰而誅之。皆是總舉庶職，合太宰、小宰、宰夫職分，自是一項。太府分太宰理財之一事，而頒其貨於受藏，則内府屬焉。頒其賄於受用，則外府屬焉。玉府則分内府之貨，而職其小用者也。合太府、内府、外府、玉府職分，亦自是一項。司會亦分太宰理財之一事，而專主勾考會稽，司書、職内、職歲、職幣屬焉。職内掌邦之賦入，亦如太府之有内府。職歲掌邦之賦出，亦如太府之有外府。職幣掌振餘財，亦如太府之有玉府。蓋用財與會財相對，合司會、司書、職内、職歲、職幣職分，又是一項。太宰所謂詔王廢置，所該者廣，司會所謂詔王及冢宰廢置，單指理財一事。論者不知，以爲《周禮》合用人理財而一之，而因混司會於小宰、宰夫之列，是亦不知周公建官、總領分核之深意矣。

定祥案：此即《未定稿》雜著中《讀周禮》第一則。

李氏《枝江縣學記》謂《周禮》無師儒之官、學校之地，不知書其孝弟、睦婣、任恤，書其德藝者，皆比閭族黨之教也。故五家爲比而有長，則其地即在五家之中矣。二十五家爲閭而有師，則其地即在二十五家之中矣。推之及於州鄉皆然，此以見周之無人無地之非教也。何氏曰：「自鄉大夫至比長，自遂大夫至鄰長，皆鄉遂之民各爲保伍，各相教治，異其爵秩，別其貴賤，謂之教官，謂之鄉吏，不受命天子，操刑政之權者也。」然閭師、比長，其人地至微，而亦得沾爵禄之榮。今之郡縣教官，其於教育人才之責至重，而反下同於抱關擊柝，何其輕於視教耶？

胥師、賈師各二史，每二十肆胥師、賈師一人，是二十肆而奉六人也。司虣十肆一人，司稽五肆一人，胥二肆一人，肆長每肆一人，通上六人計之，是每二十肆共奉四十二人也。此四十二人者，肆出其糈乎，抑官自爲之禄乎？蓋亦不勝其擾矣。

遂大夫，每遂中大夫一人，比鄉大夫下一秩，自此遞降一級，至鄰長不得爲下士矣。

蓋亦重近略遠之意。族師五家爲比，十家爲聯，五人爲伍，十人爲聯，四閭爲族，八閭爲聯，使之相保相受，刑罰慶賞相及相共。案，十家十人八閭爲之聯，即後世保甲法也。然後世之法，同保中有罪往往連坐，而善則無及焉，是有刑罰而無慶賞也。惟周家刑罰慶賞皆得以相及相共，此所以鼓舞不倦，而群安於比閭族黨之中與？

《載師》「甸稍縣都十而取二」，則有倍畝之入矣。其地皆卿大夫之采地，及王親子弟之食邑，必皆膏腴之田，而税之，重以優親賢者也。

閭師主徵六鄉貢賦之税者，與前閭胥不同。蓋此特借其近民以爲號耳。

《調人》所謂「過而殺傷人者，以民成之」，此殺傷或是八議三宥之類，法所不加，而孝子仁人之心則自有不能已者，故和難者使辟之，則兩得之矣。然而王法亦不可以無伸也。「父之讎辟諸海外」，海外者，魚鼈蛟龍之與游，魑魅魍魎之與處，是《傳》所謂「屏諸四夷」者也，名雖辟而實則與竄流之無異矣。「兄弟之讎，辟諸千里之外」，是即今法所謂流一千里者也。「從父兄弟之讎不同國」，是即今法所謂流五百里以下者也。然則殺人之罪雖赦而法未嘗不伸，而仁人孝子之心所謂枕干寢塊而誓不共戴者，至是亦可以少慰矣。又曰「凡殺人而義者不同國，令勿讎之」，此所謂義者亦指民間之相殺非過非故，而理所當殺。如「殺越人於貨，凡民罔不憝者」，今律竊盜章亦有「登時打死弗論」之律。蓋事起倉卒，其勢不及告於有司，斯殺之無罪矣。然爲其所殺子弟義不得已也，但勿與同國而已，令勿讎之，讎之則死。勿與同國者，其子弟之自往辟之也，非殺人者之辟之也。既義不得讎之矣，亦何辟之有？舊説殺人而義者，爲當官執法而殺人，如此則辟之他境，吾未見當官執法可以去位而辟人者。且殺人之罪當數至於有司之庭矣，是終日辟人無已時也，其説之荒謬，不泰甚乎？

定祥案：此即《未定稿》雜著中《周禮》第二則。

德行、道藝，黨正書之矣，而司諫復書之，曰「以考鄉里之治者」，蓋不敢純任比閭族黨，而以助鄉大夫賓興之所不及也。其法之嚴密如此，此與後之九品中正者異矣。前言刑罰慶賞相共相及，以考鄉里之治，以詔廢置，以行赦宥者，不獨廢置赦宥乎一人，而凡鄉舉里選之公私，皆得以其所舉之賢否治之也。此之謂相共相及，而民無不勸懲矣。

周家兵數皆從井田出。諸侯千乘者得士七萬五千人，天子萬乘則得士七十五萬人。井田之制一定，凡兵士、器甲、車馬無不有截然一定之數，本國不可得而增派，異國不可得而召募。故其時雖有封國大小，而强弱不甚相遠。井田廢而丘甸無稽，則一家而正羨俱行矣。井田廢而游手無食，則異國而流亡接踵矣。此强吞弱並，而天子夷於列國，小國棄爲臣隸，兵制之所以亂，封建之所以亡也。唐亦以口分世業而有府兵之制，自租庸調之法壞而彍騎不得不變矣。

「世婦，每宫卿二人，下大夫四人，中士八人。」男子之官而稱世婦，奇，用卿大夫爲宫官，尤奇。雖疏解爲奄人，然奄人得爲卿大夫士，亦何怪後世寵秩此輩，至於過當，而亂亡接踵耶？此等俱宜闕文。

柯氏曰：「《天官》：『九嬪、世婦，女御無爵秩者。』天子妃嬪次序自定，非官職也，何爵秩之有？《春官》世婦有卿大夫士之爵，非天子之嬪御，乃后妃以下之傅母有職者也，故加以男爵。女府史各二人，奚各十二〔一三〕人者，其職簡也。然亦可以見其有官府矣。若是天子嬪御，則府史奚何爲哉？故知春官世婦爲傅母，以教六宫禮事者也。或曰既非嬪御，其人何自取之？曰以德行爲本，道藝次之。或内外宗之有齒德者，或王族之婦人，或卿大夫士之妻。故明乎《春官》世婦之職，可以無疑於内宰慎男女之別，可以免奄官竊柄之禍矣。」

案世婦所掌禮甚繁重，非可暫取之於外者，殆是擇嬪御中之有德行者爲之。自大夫士以及於女府史奚總選取之於六宫中者，如是則女謁不至過盛，而宫中皆有所勉勵，以待師保之選矣。《天官》特統舉之，《春官》職禮故備列其爵秩耳，豈有異哉？若如柯氏説，則内外宗與王族之婦人、卿大夫士之妻出入宫禁，交通情屬，亂政宣淫，其害有不可言者，安在其爲先王之政哉？但卿大夫士，外朝之班爵也，而以冠裳之秩濫被之於婦人，其褻已甚，亦疑其未必出於周公之制也。

《冢人》「凡死於兵者不入兆域」，注：「死兵，謂戰敗無功者。」果爾，則童汪錡竟宜殤，而結纓之子路將不免於投之塋外之罰矣。蓋兵者刃也，死於兵是得罪被刑死者，以其有罪辱及其先，故絶之以示罰。不然，彼以罪誅者概令之族葬，而執干戈以衛社稷者，反棄之於昭穆之外，先王勸懲之意當不若是其偝〔二四〕也。吕子曰：「蚩尤作兵。」《詩·邶〔二五〕風·擊鼓》疏：「古者謂戰器爲兵。《左傳》曰：『鄭伯朝於楚，楚子賜之金曰無以鑄兵。』兵者人所執，因號人亦曰兵。」《經》云「踴躍用兵」，謂兵器也。隋仁壽元年詔：「代俗之徒不達大義，至於致命戎旅，不入兆域，虧孝子之意，傷人臣之心，自今以後，戰亡之徒宜入兆域。」

定祥案：此即《未定稿》雜著中《周禮》第三則，因兩本略有異同，故並存《未定稿》原文於後。

《冢人》「凡死於兵者不入兆域」，注：「死兵，謂戰敗無功者。」果爾，則童汪錡竟宜殤，而結纓之子路將不免於投之塋外之罰矣。隋仁壽間詔：「致命戎旅，不入兆域，虧孝子之意，傷人臣之心。自今戰亡之徒，宜入兆域。」此皆前此誤解經義之故。蓋兵者，刃也。吕子「蚩尤作兵」。死於兵爲有罪，以其辱及其先，故絶之以示罰。《左傳·襄二十九年》：「齊人葬莊公於北郭。」注：「兵死不入兆域。」是也。

太史掌建邦六典，即漢上郡國計書於太史之意。但郡國之志則掌於小史，漢似並之。而今之所稱史官，大抵皆小史職也。

太史掌典法則以逆治，内史復掌王八柄之〔二六〕法以詔治，所以防冢宰之奸而殺其權也。太史所考而不信者刑之，内史易誅而殺，皆執法之士，即今内臺之職與。

「小子掌祭祀，羞羊肆、羊殽」，肆音鬄，入聲，豚解而腥之也。殽則體解而爛之也。先鄭謂肆解體薦全牲〔二七〕，非是。

《司右》「凡國之勇力之士，能用五兵者屬焉」，五兵：戈、殳、戟、酋矛、夷矛。古者車戰，戈、殳、戟、矛皆長器，故刀之用甚少，雖斬人亦用戈也。

《虎賁》「若道路不通有征事，則奉書以使於四方」，奉書以使於四方，以其能疾走也。虎賁之制不明，而五代王進至以善走而得節度，何其謬與！

《校人》「頒良馬而養乘之」，周寓兵於農，故養馬民間，令其調習，其勢然也。又有井田之法，故甸出長轂牛馬，民不知病。今兵民既分，井田不復，近世馬户之制專爲害矣。

《司馬法》「甸出長轂一乘，牛三頭，馬四匹」，此國馬也。校人以下所掌，此公馬也。國馬行軍，公馬給公家田獵、祭祀、朝覲、會同之所用。國馬養之在民，公馬養之在官。

《條狼氏》「掌執鞭以趨辟」，「凡誓，執鞭以趨於前，且命之。誓僕右曰殺，誓馭曰車轘，誓大夫曰敢不關」。車轘起於戰國，非周制。古者刑不上大夫，而曰「敢不關，鞭五百」，豈使臣以禮之意？且誓誡朝士，亦不宜委之執鞭之僕。

「小子度謂之無任」，言本不勝其任也。後人用「無任」皆本於此。

「祭侯之禮，以酒脯醢，其辭曰」云云。案《儀禮》，射釋算之後，然後司馬實爵而獻獲者於侯，薦脯醢、折俎，獲者執以祭侯。此乃射〔二八〕畢之事，而舊説云將射而先祭，恐誤。

校勘記

〔一〕「示」，《四庫》本作「試」。

〔二〕「誅」，底本作「殊」，據《四庫》本改。

〔三〕「郵」，底本作「蚰」，據《四庫》本改。

〔四〕「中」，底本作「郎」，據《四庫》本改。

〔五〕「皇」，底本作「王」，據《四庫》本改。

〔六〕「中瑟」，《四庫》本作「小瑟」。下句「中瑟」倣此。
〔七〕「聲」，《四庫》本作「樂」。
〔八〕「音」，《四庫》本作「樂」。
〔九〕「袍」，《四庫》本作「妃」。
〔一〇〕「有」，《四庫》本作「無」。
〔一一〕「且字」，底本作「美稱」，據《四庫》本改。
〔一二〕「器」，底本作「品」，據《四庫》本改。
〔一三〕「卑」，底本作「尊」，據《四庫》本改。
〔一四〕「飭」，底本作「數」，據《四庫》本改。
〔一五〕「來」，《四庫》本作「書」。
〔一六〕「祭」，底本無此字，據《四庫》本補。
〔一七〕「記」，底本作「禮」，據《四庫》本改。
〔一八〕「武」，《四庫》本作「式」。
〔一九〕「爲」，《四庫》本作「謂」。
〔二〇〕「疏」，底本作「注」，據《四庫》本改。

〔二一一〕「笙與歌皆畢則」，《四庫》本作「笙歌已竟而」。

〔二一二〕「帥」，底本作「率」，據《四庫》本改。

〔二一三〕「二」，底本作「六」，據《四庫》本改。

〔二一四〕「偫」，底本作「傎」，據《四庫》本改。

〔二一五〕「邶」，底本、《四庫》本俱作「衛」，據文意改。

〔二一六〕「之」，底本作「八」，據《四庫》本改。

〔二一七〕《四庫》「肆」上有「羊」字，下無「解」字。「牲」，《四庫》本作「烝」。

〔二一八〕「射」，《四庫》本作「祭」。

湛園札記卷三

顧亭林《日知録》曰：「嶽頂無字碑世傳爲秦始皇立，因取《史記》反覆讀之，知爲漢武帝所立也。《史記·秦始皇本紀》云：『上泰山立石，封祠祀其下。』云刻所立石，是秦石有文字之證，今李斯碑是也。《封禪書》云：『東上泰山，泰山之草木葉未生，乃令人上石立之泰山巔上，遂東巡海上，四月還至奉高，上泰山封。』而不言刻石，是漢石無文字之證，今碑是也。」又云：「始皇刻石之處凡六，《史記》書之甚明，無不先言立、後言刻者，古人作史文字之密如此。使秦皇別立此石，秦史焉得不紀？使漢武有文刻石，漢史又安敢不録乎？」案顧氏之言辯矣。然《史記·封禪書》、《漢書·武帝本紀》注引《風俗通》曰：「石廣二丈一尺，刻之曰事天以禮，立身以義，事父以孝，成民以仁，四海之内莫不爲郡縣，四夷八蠻咸來貢職，與天無極，人民蕃息，天禄永得。」云此古制也，則武帝已用之矣。又《後漢書·張純傳》：「帝乃東巡岱宗，以純視御史大夫從，並上元封舊儀及刻石文。」若無文字，則不當云刻石，又不當增文字也。

金初制，杖罪至百則臀背分決。及海陵庶人以脊近心腹禁之，雖主決奴婢亦論以違例。海陵凶暴，而此舉暗合唐文皇。

後唐張文寶知貢舉，進士有覆落者下學士院作詩賦貢舉格。學士李懌曰：「予少舉進士登科，蓋偶然耳，後生可畏，來者未可量。假令予復就試禮部，未必不落第，安能與英俊爲準格？」聞者多其知體。金明昌中，禮部尚書張行簡轉對言：「擬作程文，本欲爲考試之式。今會試考試官、御試讀卷官皆居顯職，擢第後離筆硯久，不復常習，今臨試擬作之文稍有不工，徒起謗議。」詔罷之。此二段議論皆得體。蘇子瞻曰：「麻衣如再著，墨水真可飲。」前輩虛心如此，亦是實理。今制試録不用程文，是也，而淺學小生紛紛擬作，必爲二君含笑於地下矣。

定祥案：此即《未定稿》雜著中《張文寶》一則。

《金宗室表》：「右宣宗子與末帝凡四人。」案，宣宗子哀宗諱守緒，非末帝也，末帝諱承麟。《哀宗本紀》云：「内族承麟。」金制疏族稱完顏，明昌後避睿宗諱稱内族，則承麟本疏族，非宣宗子也。今以哀宗爲末帝，既大誤，又不譜哀宗世系，並承麟不知何出，史官之紕繆極矣。

劉歆作《遂初賦》，自以朝政多失，作《遂初賦》以歎往事而寄己意。其辭曰：「處幽潛德，含〔一〕聖神兮，抱奇内光，自得真兮。寵幸浮寄，奇無常兮。寄之去留，亦何傷兮。大人之度，品物齊兮。舍位之過，忽若遺兮。求位得位，固其常兮。守信保己，比老彭兮。」其言頗似曠達，而爲莽佐命，終致夷滅，視孫綽之義正桓温，相去何啻霄壤。

《遼史·職官志》引宋刁約詩「押宴夷離堇〔二〕」，疑夷離堇亦是執政重臣。予讀《金史·禮儀志》：「凡行省來宴、回宴之押宴官，皆從行省定差就借，以文武高爵長官之職以爲轉銜之光。」想此即遼遺制，雖在朝廷亦借銜也。

金遼史記事多重複。天祚天慶二年，駕幸混同江，頭魚酒酣，上命諸部長歌舞，女直阿古達直視云云，見《樂志》，又見《天祚本紀》，又見《蕭奉先傳》。帝命耶律義先對蕭革巡擲大罵事，一見《義先傳》，一見《革傳》。鴨子河頭鵝事，一見《樂志》，又載《巴納河》，又屢見他傳，語皆無詳略。至蕭涅卜與蕭匹敵〔三〕爲欽哀皇后所誣而殺，《蕭奉先傳》復云欽哀弒仁德皇后，奉先與蕭涅卜、匹敵等謀居多，一事而互相矛盾，尤大謬，宜改正。

《金史·忠義列傳》云：「聖元詔修纂遼金宋史，史臣議凡前代之忠於所事者，請書之無諱。」朝廷從之。嗚呼仁哉，聖元之爲政也。此事今修《明史》當引以爲例。

《詩》有五際四始，四始者：《大明》在亥水始也，《四牡》在寅木始也，《嘉魚》在巳火始也，《鴻鴈》在申金始也。此緯家之言四始，與《詩序》較異。

酒名三白，取豐年之兆。蝗蟲一雪入地三尺，三雪則入地九尺，故三白爲豐年之兆也。

宋朱彧《可談記》：「都下市井謂不循理者爲乖角，又謂作事無據者爲没雕當。喪禮冒發搯以一竿揭之，名乖角衛士。順天幞頭有一脚下垂者，其儕呼爲雕當。」今吾鄉亦有無雕當之稱，宋當讀作去聲，吾鄉則入聲耳。

吾鄉諺語「看三色」，三色字出於《韓嬰詩傳》、《吕氏春秋》。

吕子：「昔者禹一沐而三握髮，一食而起三，以禮有道之士。」周公吐握之説見於《荀子》，人罕稱禹也。

張僧繇於江陵天皇寺圖孔子十哲之像，或謂不宜。僧繇笑曰：「吾誠偶然，安知不利於後人者？」莫知其旨。及後周滅二教，惟此寺有宣尼像得不毁。吴仲圭將卒，自題其墓曰「花光和尚之墓」，後楊連真珈遍發人塚，見仲圭之表，疑爲僧墓不發。二君非解術數者，豈非用志不紛乃凝於神耶？

明制，命婦入朝贊行四拜禮，皆下手立拜，惟謝賜時一跪叩頭耳。而民間婦女俯伏稽首與男子無異，何哉？

兄弟之子與父之兄弟，其稱謂不見於經，大抵從父而推者皆得蒙父稱，從子而推者皆得蒙子稱。故父之昆弟，先生爲世父，後生爲叔父。父之從父昆弟爲從父，父之從祖昆弟爲族父。蓋謂我父者我謂之子，謂我祖者我謂之孫。朱子云：「兄弟之子稱猶子，自曾祖而下三代稱從子，自高曾四代而下稱族子。」是也。若姊妹於兄弟之子，則推而遠之矣。故《爾雅》曰：「女子謂昆弟之子爲姪，謂姪之子爲歸孫。」然姪亦女子之號，因娣姪而得名者非男子之正稱也，無已則對姑而稱之，斯已耳。案，《僖十五年左氏〔四〕》載晋史蘇之占曰「姪其從姑」，注謂「我姪者我謂之姑」。謂子圉質秦，此正男子對姑之稱也。其子姪、叔姪之稱於後世者，《史記·魏其傳》云：「田蚡乃爲諸郎侍酒，跪起如子姪。」謝安石云：「聖賢去人，其閒亦邇。」子姪未之許是也。然亦有徑稱子者，《史記〔五〕·二疏傳》云：「父子相隨出關。」《後漢書·蔡邕傳》「將作大匠陽球飛章言邕及質。邕上書自陳，如臣父子，欲相傷陷」云云。《晋書》「朝議欲以謝玄爲荆州刺史，謝安自以父子名位太重」云云。南燕慕容輿〔六〕根謂慕容寶、叔父德曰：「昔蒯聵出奔，衛輒不納，《春秋》是之。以子拒父猶可，况以父拒子乎？」是皆以叔姪爲父子也。至韓退之《興元少尹房君墓志》，子曰次卿，述其弟式之言曰：「子與吾兒次卿游。」是竟稱姪爲兒矣。此則唐以前猶爲近古者也。《南史·王球傳》：「王履深結劉湛，誅湛之夕，履徒跣告球。其叔父也。球曰：『阿父在，汝亦何憂。』」注：「江南人謂叔父、伯父爲阿父，爲叔伯父者以自呼。」宋惟黄魯直《上叔父夷仲》詩曰：「更懷父子東歸得，手種江頭柳十尋。」案，古者卿大夫五十不稱字，别以伯仲，天子稱同姓曰伯父、叔父，是稱也達於天下。蓋伯叔者長幼之稱也，若諸〔七〕父止稱伯叔，則是以長幼爲次序而以父之昆弟同於凡人之稱矣，禮惟婦稱夫之兄弟曰伯叔，見後。此後世失禮之甚者也。然豈獨此哉？《左傳》：「無女而有姊妹及姑姊妹。」疏引樊光曰：「《春秋傳》云姑姊妹若父之姊爲姑姊，父之妹爲姑妹。」《列女傳》：「梁有節姑妹入火而救〔八〕其子。」又《左傳》：「季武子以公姑姊妻邾庶其。」疏曰：「或曰是父之姊。」是也。蓋稱姑者有二，一爲婦於其夫之母，一爲姪於其父之姊妹。今以男子而稱父之姊妹爲姑，亦何以自别於婦人者。故知古人稱謂之閒字必有義，後人日趨便易，不悟其失，良可慨也。

母之昆弟爲舅，而男子謂姊妹之子曰出。然《左氏》、《公羊》率謂之甥也。《爾雅》：「妻之父爲外舅，謂我舅者我謂之甥。」故孟子曰：「帝館甥於貳室。」是翁壻亦得甥舅稱之矣。稱於王母昆弟曰彌甥，見於《左傳·哀二十三年》：「宋景曹卒，季康子曰以肥之得備彌甥。」注：「父之舅氏故稱彌甥。」亦曰從孫甥，見於《哀二十五年》：「衛夏戊之女，太叔疾之從孫甥也。」注：「姊妹之孫爲從孫甥。」其稱王母之昆弟未有聞。《後漢書》：「郭況族姊爲皇祖考夫人，見光武，光武大喜曰，乃今得大舅也。」然則漢之稱王母之昆弟爲大舅也。妻稱夫兄弟曰伯叔，伯叔猶兄弟之稱也，亦曰兄公，見《爾雅》：「夫之兄爲兄公，夫之弟爲叔，夫之姊爲女公，夫之女弟爲女妹。」《漢書·薛宣傳》：「敬武長公主曰：『嫂何爲取妹？』」曹大家《女誡》亦云：「嫂妹是也。」夫兄之妻，姒也，亦通謂之嫂。漢張負以女孫嫁陳平，戒曰：「汝事兄伯當如父，事嫂當如母。」今俗稱夫之女兄弟曰姑，是從女之稱，因亦有稱妻之兄弟曰舅者，皆謬也。《朱子語録》曰：「據前輩但以兄弟稱之。」據此夫之女兄弟通稱姊妹，於古亦合。

《左傳》：「凡諸侯有命告則書，不告則不書。」杜注：「承其告辭，史乃書之於策。若所傳聞行言非將君命，則記在簡牘而已，不得記於典策，此蓋周禮之舊制。」案，策書存國之大體，故宜略，簡牘載四方之傳聞，故宜詳。二者之史，缺一不可。後世《實録》則策書之類也，而簡牘無聞焉。《實録》所書又不實，然後野史以興，究其原亦簡牘之類與？

凡作事，必量力以豫爲其後來可以收拾之地。楚之僭王，其大罪也，昭王之死，非楚之罪，以管仲之智，豈其見不及此，而乃執此以相詰，何也？蓋自量其力不能去楚之稱王，而姑舉其久遠無據之事以詰之，使楚可爲辭，然後與之盟而去之，而勝勢在我矣。君其問諸水濱，管仲已先辨此一言，爲楚人解釋之地，雖楚使與桓公，皆陰入其機彀而不覺也。蓋管仲一生之相業智數，大抵類此。

《左傳》：「君子曰，管氏之世祀也宜哉。」杜氏曰：「管仲之後，於齊没不復見，傳亦舉其無驗。」昨舉示友人閻子百詩，爲予檢《史記·管仲〔九〕傳》，注引《世本》云「莊仲山産夷吾，夷吾産武子」云云，共十世，皆有謚，惟末世景子步耐生微無謚耳。此几案間書，而杜、孔諸君皆不及知，亦可怪也。

魏叔子贈新例爲官者有云：「張釋之之政事，司馬相如之文學，皆以貲爲郎。」百詩引漢制駁之。案《釋之傳》注：「以貲爲郎。」蘇林曰：「雇錢若出穀也。」如淳曰：「漢制貲五百萬得爲常侍郎。」師古曰：「如説是也。」又《司馬相如傳》亦曰「以貲爲郎」，師古曰：「以財多得爲郎也。」是兩人俱是以貲中格得郎，非捐納之例。惟黄霸初以納錢補謁者，後納穀補卒史，然左馮翊猶以霸納粟得官，不署右職，則當時之所尚可知矣。但《司馬傳》又云「家徒壁立」，不知五百萬安在。或武帝偶有納例，史失載耳。

鄭執天子之二使，不得謂小忿。爲周之計，當告於大國，聲其罪而致討之，不當用狄兵以伐同姓耳。富辰之諫亦未爲至當。〔一〇〕

定祥案：原本亦爲下闕。

門焉有二義。「晋人圍曹，門焉」與「門於桔柣」，攻門也。《文十五年》「門於句鼆」，守門也。

楚滅庸，晋滅狄，皆縱而後殪之，蓋小國之志，驟勝則易驕也。

「陳殺其大夫洩冶。」注：「洩冶直諫於淫亂之朝以取禍，故不爲《春秋》所貴。」然則龍逢、比干亦有罪乎？此誣經之甚者也。

華元夜入楚師，直登子反之牀，其將可襲而取也，子反之用兵亦疏矣。先儒謂亞夫使軍中夜驚，猶爲未善，况於延敵使入如無人之境乎？

襄十一年鄭人賂晋侯，以師悝、師觸、師蠲、歌鐘二肆及其鎛磬女樂二八。十五年賂宋以師筏、師慧。可見鄭聲之淫，其爲諸侯所貴重如此。

「齊崔杼生成及彊而寡。」注：「偏喪曰寡。」是失妻亦稱寡也。

季札觀樂，使工歌之初不知其所歌者何國之詩也，聞聲而後别之，故皆爲想象之辭。曰此其爲衛風乎，其周之東乎，其太公乎，其周公之東乎，其周之舊乎，其有陶唐氏之遺民乎，皆從想象而得之者也。至於見舞則便知其何代之樂，直據所見以贊之而已，不復有所擬議也。

字書幘音責，皆釋以冠幘之義。予案《左傳·定九年》：「齊侯賞犁彌，犁彌辭曰：『有〔一二〕先登者，晳幘而衣貍製。』」杜注：「幘齒上下相值。」此又一義，字書失載。

太宗末，新羅立女善德爲王，國人號聖祖皇姑。善德死，贈光禄大夫，而妹真德襲王。永徽元年，攻百濟破之，遣春秋子敏入朝，真德織錦爲頌以獻，死贈開府儀同三司。此時正武后得政之時，中外一時皆奉女主，奇事也。

《倭傳》：「建中元年，使者真人興能獻方物。」真人蓋因官而氏者也。興能善書，其紙似繭而澤，人莫識，此即今高麗紙。

唐長孫無忌以烏羊皮爲渾脱氈帽，人多效之，謂之趙公渾脱。今京師傔從人帽皆用烏羊毛，此亦渾脱之遺製也。《宋史·徐徽言傳》：「乘羊皮渾脱，亂流以掩敵。」此渾脱又似以羊皮爲渾脱而渡者。

高宗亦有姨。韓國夫人，武后之姊，宫中相傳章懷太子賢其所生也。女亦寵號魏國夫人。

唐德宗以順宗子謜爲第六子。以孫爲子，今吴下多有之，謂之過房。

陸雲有笑疾，見張華多姿致，又帛纏鬚，大笑不能自已。《東都事略·劉温叟傳》：「劉昱好笑，雖在人主前不能自已也。」

太平興國中，梁周翰言：「今崇政殿、長春殿皇帝宣諭之言，侍臣論列之事，依舊中書修爲時政記。其樞密院事涉機密，亦令纂修，每至月終送史館。自餘百司凡干封拜除、改沿革制置之事，悉備編録。仍令郎與舍人分值崇政殿以記言動，别爲起居注，先進御，後降付史館。」起居注進御，自周翰始也。

宋駙馬尚主多易其名，使與父同行。王貽正之子克明尚太宗女鄭國長公主，賜名貽永。李崇矩之子繼昌，繼昌子勗尚太宗女萬壽公主，真宗特於其名上益遵字，陞爲崇矩之子焉。王偁曰：「英宗以前公主廢舅姑之禮，主壻升行次同諸父。英宗特思所以釐正之，至神宗即位，詔公主出降皆行舅姑禮。」

《英宗本紀》：帝語神宗曰：「國家舊制，士大夫之子有尚帝女皆升行以避舅姑之尊。朕常思此，寤寐不平。」云云。

宋湜字持正，名、字與皇甫俱同。《詩》注：「湜，持正也。」

宋真宗時，知制詔周起患貢舉之弊，建議糊名以革之，糊名之制始此。

仁宗康定二年，參知政事李若谷罷爲資政殿大學士，提舉會靈觀，宫觀置提舉自若谷始也。

文彦博《高若訥墓銘》：「丁秦國憂，哀訴祈終三年喪。故事，待制以上遭喪類卒哭起復，今許終服，自公始也。」宋大臣終喪自高若訥始，其人與范、歐諸賢爲讎，有此一大節，足當末滅。明初大臣亦多起復者，自羅一峰疏參李賢後，人知終制矣。

楊傑《劉之道墓銘》：「開國以來嫡孫有諸叔而承重者，自之道始。之道爲制作郎，遭祖母喪，乞解官承重服，府尹王贄惜而留之，之道不從，以其事奏於朝，下禮官議，以爲然，乃聽其去。」之道名煇，即歐陽公知貢舉以苗軋被黜者，後再舉，歐公得其卷奇之，仁宗擢甲科第一。

神宗時，孫覺以祖母亡解官，下太常議，不可，而覺已持喪矣，服除改官。呂溱爲翰林學士，疏論宰相陳執中，仁宗還其疏，溱請付執中令自辨。還疏之事僅見於此。

《元史·祭祀志》：「因俗舊禮祥和署掌雜把戲，男女一百五十人。至元七年起，每歲二月十五日於大殿啓建白繖蓋佛事。移文樞密院，八衛撥擡舁監壇漢關將軍神轎軍及雜用五百人。」

《太平廣記》：「會昌元年，戎州水漲，浮木塞江，刺史趙士宗召水軍接木修開元寺。後月餘，有夷人逢一人如猴，著故青衣，云『關將軍遣來采木，被此州接去，不知爲計，要須明年却來收』云云。戎州蜀地，此唐時關將軍已著靈爽矣。」事見三百六十六卷。

虞集《廣智禪師塔銘》：「當陽玉泉景德禪寺者，智永大師道場也。相傳有神，自稱漢前將軍關侯〔一二〕，没而藏神於此，願佐師，遂建伽藍焉。自隋歷唐至宋，主之者皆名世之士。」觀此，則壽亭侯之護持佛法，自梁時已然矣，此時即建關將軍廟於寺側。

元衮冕之制始自憲宗。壬子年秋八月祭天於日月山，用冕服。成宗大德六年春三月，祭天於麗正門外丙地，命獻官以下諸執事各具公服行禮，是時大都未有郊壇，大禮用公服始此。至英宗親祀太廟，復置鹵部服衮冕，文宗繼之，制度漸備矣。

宣聖廟執事儒服，黄鞓角帶，元制士子通用之服也，其他又有紅藍鞓〔一三〕帶云。

至元初選七品以上朝官子孫爲國子生，隨朝三品以上官得舉民間之俊秀入學，爲陪堂生伴讀。故至今俗語有陪堂之稱，以陪堂爲伴讀，猶元魏時之有博士也。

元世累朝故事，先皇帝御容置寺以奉之，其制隆重，營建之費動糜數十萬。繪畫佛像及土木刻削之工則有梵緣提舉司，秩正五品，織佛像提舉司秩亦如之。財用所秩正七品，掌寺中糧草諸物。營膳司設達嚕噶齊，掌營造工像、寺僧衣糧、徵收房課之事。護國仁王寺有鎮遏提舉司大都民佃提領所，普安寺大智全寺有起運提點所。至大四年建大聖壽萬安寺，置萬安規運提點所。延祐二年陞都總管府秩正三品。蓋舉天下之財以奉之，民力何得不耗。〔一一四〕

元以科目取士，自延祐至元統凡七科而罷。至元二年復舉行，至二十六年凡九科。

元世祖敦本重農。中統元年，命各路宣撫司擇通曉農事者充隨處勸農官。二年立勸農司，以陳邃、崔斌等八人爲使。至元七年立司農司，以左丞張文謙爲卿。是年又頒農桑之制一十四條，其可法者：縣邑所屬村疃，凡五十家立一社，擇高年曉農事者爲之長；增置百家者，別設長一員；不及五十家者，與近村合爲一社，仍擇數村之中立社長；官司長以教督農桑爲事，凡種田者必牌橛於田側，書某社某人於其上，社長以時點視，誠不率教者，籍其姓名以授提點官責之，其有不敬父兄、凶惡者亦然，仍大書其所犯於門，俟其改過自新乃毁。如終歲不改，罰其代充本社夫役；社中有疾病凶喪之家不能耕種者，衆爲合力助之；一社之中災病多者，兩社助之；凡爲長者復其身，郡縣官不得以社長與科差事。此制有通力合作遺意，而禁郡縣不得科差社長尤爲良法，史稱其仁，宜矣。武宗三年，申命大司農除牧養之地，聽民秋耕。仁宗皇慶二年，申秋耕之令。蓋秋耕之利，掩陽氣於地中，蝗蝻遺種皆爲日所曝死，次年所種必盛於常禾也。秋耕之法，今無言及者。

憲宗命月乃合贊斷事宜。時〔一五〕以燕故城爲治所，月乃合料民丁於中原，凡業儒者試通一經即不同編户，著爲令甲。儒人免丁者，實月乃合始之也。

蘇秦洛陽人，所居乘軒里。

北齊司徒楊椿家弘農，合門孝友，四世同居，見於《本傳》者甚悉，朱子采之以入

《小學》。然遭爾朱之亂，舉宗被戮，僅遺姪愔爲高洋相，復爲其所誅。愚嘗謂天道福善之理至此頗爽。後讀《周書》，忽悟其故，備書於此，以爲世戒。《周書·寇儁傳》：「華州民史底與司徒楊椿訟田，長史以下以椿勢貴，皆言椿直，欲以田給椿。儁曰：『史底窮民，楊氏横奪其地，欲使雷同，未敢聞命。』遂以田還史。」又《泉企傳》：「企爲雍州刺史，部民楊羊皮，椿之後子，恃託椿勢，侵害百姓，守宰多被陵侮，皆畏而不言。企將取戮之，於是宗族詣闕請恩。」夫家法嚴整而使子弟宗族猶得豪横鄉里、侮慢守令，此禍之所以不免也。必如唐柳玭之戒其子弟「凡門第高，可畏不可恃，膏粱子弟學宜加勤，行宜加慎，僅得比於常人」數語，纔得免於驕恣之患。然楊氏一家孝弟，禍尚如此，況在他人，可不知警戒耶？

寇儁字祖儁，上谷昌平人。兄祖訓、祖禮並有志行，閨門雍睦，白首同居。父亡雖久，而猶於平生所處堂宇備設帷帳几杖，以時節列拜，垂涕陳薦，若宗廟焉。吉凶之事必先啓告，遠行往返亦如之。少爲司徒崔光所知，命其子勵與儁結友，儁每造光，清言移日。小宗伯盧辨恒語人曰：「不見西安君，煩憂不遣。」

《周書》不立志，故八柱國見於《獨孤信傳》，依《周禮》新定官制見於《盧辨傳》，録用元魏之後見於《元偉傳》。周世祖保全元氏，分布庶職，是帝王盛事，隋遷周鼎，宇文之後靡有孑遺，作史者寄慨深矣。

明王府音樂院有色長，樂初奏，皆色長跪啓。見正德二年四月《實録》。

曾魯字得之，有《六一居士集正誤》、《南豐類稿辨誤》。

臨川過源字道源，陸象山弟子。常謂黄鐘極清，一陽之始，當以長孫無忌三寸九分爲據。《吕子》：「斷竹兩節間，其長三寸九分而吹之，以爲黄鐘之宫。」在李文利前已有主此説者矣。

宋制，士大夫得乞便地就養，明初猶有此風。胡儼南昌人，爲長垣教諭，乞便養，又改餘干，因著爲令。許人乞便地自儼始也，後此制寢不行矣。

《左傳》「使封人慮事」，注：「慮事，無慮計功。」又注：「《廣雅》：無慮，都凡也。」師古《漢書注》：「無小思慮而大計也。」案，趙與時《賓退録》曰：「諺謂物多爲無萬數，《漢書・成帝紀》語也。」《嶧山碑記》云「世無萬數」，「無萬」即《左傳》所謂「無慮」。吾四明諺語至今稱多曰「無萬數〔一六〕」。

宋孔季恭子靈符於永興立墅，周回三十三里，水陸地二百六十五頃，含帶二山，又有果園九處。審爾，則古王公之苑囿不大於此矣。恐傳之者失實。

蔡曇知鄉里號蔡曾子。廬江何伯璵兄弟，鄉里號何展禽。

豐草庵《蠶豆詩》：「誰賦田園雜興題，琅玕記取夏初垂。喜看桑底新懸莢，恰值蠶眠未吐絲。細雨賣茶聲過後，竹煙燒筍火停時。沙瓶滚熅分前詠，豌豆今逢第二詩。」自注：「誠齋《蠶豆詩》有『沙瓶新熟西湖水，漆楪分嘗曉露餘』，又言『蠶豆未有賦』，蓋豌豆也，吴人謂之蠶豆。」案，吾鄉以吴人蠶豆爲豌豆，而以吴人所謂寒豆者謂之齏豆，至今猶然。

劉禹錫《代祭柳員外文》曰：「簁盈草隸，架滿文篇。鍾索繼美，班揚差肩。」則子厚亦工於書法矣。惜其字不傳，而見於與劉唱和詩多有之。

《史記》蒯通曰「狡兔死，走狗烹」，而《漢書》改爲「野禽殫，走狗烹」。此《新唐書》以「篠驂」易「竹馬」、「迅霆」易「疾雷」之濫觴也。

《聘禮》：「賓受棗，大夫二手授栗。」注：「受授不游手，慎之也。」疏：「初兩手俱用，既受棗而不兩手共授栗，則是游暇一手不慎也。」世通語所謂「游手」者當作此解。

《喪服》疏：「繩菲，今時不借也。周時人謂之屨子，夏時人謂之菲，漢時謂之不借也，此凶屨，不得從人借，亦不得借人，皆是異時而别名也。」案，不借本是喪屨，後人有「游山雙不借」之句，於是遂以不借代芒屩用之，亦誤矣。

海人驗候云：「山擡風潮來，海唑風雨多。」擡，謂海中素迷望之山忽皆在目。唑讀䰐，萬喙聲也。

韓文公詩題有《寄第三閣老》，注：「王沂公《言行録》記楊大年呼沂公爲第四廳舍人，疑前世遺俗稱呼。」案，《楊綰傳》：「故事，中書舍人年久者爲閣老云。」

隋殷紹《表》：「臣述《九章》數家雜要，復以先師和公所注《黄帝四序》經文三十六卷，專説天地陰陽之本。其《孟序》九卷説陰陽配合之原，《仲序》解四時氣王休煞吉凶，《叔序》明日月星辰交會相生爲表裏，《季序》具釋六甲刑福禍德。仰奉明旨，謹審先所見《四序》經文鈔撮要略，當世所須，吉凶舉動，集成一卷，上及天子，下〔一七〕至庶人，吉凶所用，罔不畢舉。」其《四序堪輿》遂大行於世。此即今監頒曆日通書之所祖也。術〔一八〕家之刑福禍德始於《淮南子》而闡明於殷紹，遂爲百代不刊之典矣。

宋文帝欲犯河南，謂行人曰云云，太武帝聞而大笑曰：「龜鼈小豎自顧不暇，何能爲也？」南龜鼈小豎，可對北龍虎大王。

古人露宿，明日相見問無恙。鄭《周禮・行人》注曰：「問不恙也。」

定祥案：原本此下有「大行人諸侯之王事注」一則，與卷一複，今删之。

「唐有天下幾二百年，而文章三變。初則廣漢陳子昂以風雅革浮侈，次則燕國張公説以宏茂廣波瀾，天寶以還則李員外、蕭功曹、賈常侍、獨孤常州比肩而作，其道益熾。」此補闕《李翰集》梁肅之序。韓退之，肅所取士，是時韓柳之文未行，故以蕭李之徒當之，至韓柳文盛而無三變之論矣。

古者車皆立乘，惟安車與女人則坐。《吕氏春秋・貴因篇》：「至秦者立而至，有車也。適越者坐而至，有舟也。秦越遠途也，竫立安坐而至者，因其械也。」高誘注：「立猶行也。」非是。且立如何替得行字，所謂竫立者猶正立執綏耳。

近有欲補編廿一史志者，廿一史中惟《三國志》及《北齊》、《周》、《梁》、《陳書》無志。《三國志》「蜀無史官」，其制度闕如，固無足怪。魏之典故散見於晉、宋、齊書，此猶可掇拾爲之者。若吴則竊據江表，東晉之燕、石、苻、姚耳，於史例皆不當得志也。齊、周、梁、陳書咸成於唐初史臣之手，其時命魏徵修《隋書》，命長孫無忌修《五代史志》，《志》成即入《隋書》，故《隋書・志》兼齊、周、梁、陳之事，而李百藥、令狐德棻、姚思廉遂不復贅四代之事於其史中。當時發凡起例必有成説，今欲補志亦不過析《唐書》所載以分隸各史耳，是亦不可以已乎？《隋書・志》題長孫無忌，《紀傳》題魏徵，後歐陽公不欲與宋景文共事而分纂《傳》、《志》，亦本於此。《五代史志》當時亦單行於世。

《左傳》：「晏子對景公和如羹焉，水火醯醢鹽梅，以烹魚肉。」疏：「此言和羹而不言豉，古人未有豉也。《禮記・内則》、《楚辭・招魂》備論飲食而言不及豉，史游《急就篇》乃有蕪荑鹽豉。蓋秦漢以來始爲之耳。」案，此所謂豉即今之醬也。《説文》「尗」即鹽豉之「豉」，許氏曰：「配鹽尗也。」「尗」，古「菽」也，發豆使腐而以鹽配之，謂之「幽菽」，今爲醬者以豆發之是已。若《周禮・膳夫》「醬百有二十甕」，「合醓六十甕」，「醢六十甕」，而言皆用肉合成，非今醬之類。故天官之屬列有醢人、醯人、鹽人而無醬人，《内則》、《論語》所稱皆是醢醯也。《韻府群玉》云有肉醬之醢，有鹽豉之醢。鹽豉非腥，安得云醢？自佛入中國，人多持素，鹽豉之用廣矣，三代時未有素食者也。

《左傳》老者家父桓八年來求車，若即作誦之人，則已爲百歲上人矣，故注疑之。《僖三十一年》「鄭洩駕惡公子瑕」，注：「隱五年洩駕距此九十年，疑非一人。」長狄榮如以魯桓十六年死，至宣十五年一百三歲，其兄僑〔一九〕如猶在，蓋百三四十外人矣。齊鮑國、吴延州來年皆近百歲，尚見經傳。

《昭二十五年》：「宋人享昭子，賦《新宫》。」此時夫子年已三十五矣，新宫尚在，安得删詩之時便亡，而亡亦不能記憶也？明《笙詩》有聲無辭，注「逸詩」恐未是。

叔向謂襄王，王〔二〇〕一歲而有三年之喪二焉。注：「天子絶期惟服三年，故后雖期，通謂之三年喪。」此說太渾。《正義》云：「喪杖期章内有父在爲母。」《傳》曰：「何以期，屈也，至尊在，不敢伸其私親也。父必三年然後娶，達子之志也。」父以其子有三年之戚，爲之三年不娶，有三年之義，故可通謂之三年之喪。案，天子、諸侯、后夫人死，即以娣姪繼之，安得有再娶之事？晉靈〔一二〕公再求婚於齊，此末世之亂法也，不可以證先王之禮。愚謂妻之喪期，間月而禫，共十五月，亦得占三年，故通謂之三年之喪。若叔伯之喪則不待禫而除矣，况天子諸侯絶旁期，則后喪之得稱三年無疑也。

《莊十八年》「秋有蜮」，《正義》云：「《洪範·五行傳》曰：『蜮如鼈，三足，生於南越。』南越婦人多淫，故其地多蜮，淫女惑亂之氣所生也。」此不經之説，魯女多淫，至於蜮生其地，亦太甚矣。而鄭衛之淫者尤甚，蜮不見書，何與？

哀公艾陵之戰，「公使太史固歸國子之元，寘之新篋，褽之以玄纁，加組帶焉。」褽音尉。注：「褽，薦也。」《史記》「褽〔一三〕薦」本此。

韓退之自稱昌黎，朱子引衆説而衷之云：「今河内有河陽縣，韓氏世居之，故公每自言歸河陽省墳墓。而女挐之銘亦曰『歸骨於河南之河陽韓氏墓』，張籍祭公詩亦曰『舊塋孟津北』，則知公爲河南之河陽人。」然朱子謂皇甫《墓志》不言鄉里，今考《志》首叙事即云「三月癸酉葬河南河陽」，則不待張籍祭詩而葬地始顯也。又公集《息國夫人志》李欒妻。「葬河南河陽」，又云「乞銘於其鄰韓愈」，則公之爲河南河陽人益信矣。今修《一統志》，遂啓總裁附其説於《志》内。又皇甫《志》内「知人罪，非我計」，朱子疑之，改爲「人知人罪，非我所計」。今考《文萃》曰「知與罪，非我計」，不但文意明白，上下皆四言成句，而此獨少變其體，尤爲生動云。

有爲顧愷之贋書者，云：「漢武帝起柏梁臺，群臣應詔作七言詩，召能繪者繪焉。一時文臣如宗室劉安國、廷尉杜周、郭舍人等俱能以圖見生。此字不明，疑是重字。嗣後文臣如谷永、王嘉、毛延壽、張衡、諸葛孔明皆能丹青，造其妙，而龔寬在諸賢之間尤爲傑出。」其言不倫，而以毛延壽爲文臣雜於諸名臣中，益可怪。恐贋書者並其言而贋之。

元最重馬乳，自天子下各以脱羅氊置撒帳爲取乳室。車駕還京師，太僕卿先期遣使徵馬五十醖都來京師。醖都者，承乳車之名也。御用曰細乳，黑馬乳也。

火〔二三〕礮興於宋末元初，其初猶用石也。《元史·阿穆呼傳》：「太祖嘗問攻城略地，兵仗何先，對曰：『攻城以礮石爲重，力重而能及遠故也。』此論石礮可知。帝悦，即命爲礮手。」「至元十年修立正陽東西二城，置礮二百餘座，傳子及孫，皆爲礮手千萬户。」「薛塔剌海來歸，太祖命爲礮水手，從征回回、河西等國，俱以礮石立功，亦傳國至子及孫。」「賈塔喇呼總礮手軍。」此皆用石爲礮也。夏世家有礮手一百人，號撥喜，陡立旋風礮於槖駝鞍，縱石如拳，則此時亦無火礮也。《阿爾哈雅傳》：「會有西域人伊斯〔二四〕瑪因，獻新礮法。」新礮用火可知。因以其人來爲礮攻樊，破之。時又命隋世昌立礮簾於城外。」又：「張榮從軍下漢江，至沙洋以火礮焚樊城中，民舍幾盡，遂破之。」案，此皆礮之用火攻者也。《金史·特嘉哈〔二五〕希傳》：「其攻城之具名震天雷者，鐵罐盛藥，以火點之，礮起火發，其聲如雷聞百里外，所爇圍半畝之上，火點著甲鐵皆穿。」又：「飛火鎗注藥以火發之，輒前燒十餘步，人不敢近。」此火礮、火鎗之制，金元之際已有之。自明永樂間通西洋，其藥器盡入中國。萬曆間用紅夷火藥礮，賫以攻城，此礮一發而血流成溝，骨肉糜爛，雖有韓岳之將、百萬之師，無所用其巧矣。至其甚也，將吏外通賊，至一礮不發而反以資敵人之用，其害可勝道哉。

《達爾楚傳》「至元十一年朝議，淮上諸郡，宋之北藩，城堅兵精，攻之不可猝下，徒老我師。宜先渡江翦其根本，留兵淮甸絶其救援，則長江乘虚可渡也。於是以達爾楚爲淮西行省參知政事」云云。案，元之取宋，巴延統師從大江東下，直取建康，而留索多駐兵瓜洲，絶淮南北之救援。時宋重兵皆在揚州，據瓜洲以扼其吭，於是巴延之兵得一意以取臨安，而宋遂亡矣。其廟算之先定如此。

《范椁傳》：「閩俗素汙，文繡局取良家子爲繡工，無別尤甚。椁作歌詩一篇述其弊，廉訪使取以上聞，皆罷遣之，其弊遂革。」閩俗之汙元時已然矣，椁詩載集中。

董搏霄見殺，頸無血，惟見白氣冲天。王伯顔知福寧州，爲賊帥王善所殺，頸斷涌白液如乳，暴尸數日色不變。一時死節之臣，有此兩異。

《元史》錯謬莫甚於《姚燧傳》，其文大抵掇拾燧所自爲《送暢純父序》，而前後倒置，散亂不明，以虛爲實，以寓言爲正意，不獨與史法乖迕，於文字語氣亦直謂之不通可也，今具列於後以俟讀者參之。至燧既立傳，則《姚樞傳》末但曰「猶子燧自有傳」足矣，而必贅之曰「燧官至某某，謚文通」，亦非書法。《馬祖常傳》亦然。

《傳》曰「年十三見許衡於蘇門，十八始受學於長安，時未嘗爲文，視流輩所作惟見其不如古人，則心弗是也。二十四始讀韓退之文，試習爲之，謂有作者風，稍就正於衡衡」云云。案，《序》云「予冠首時視流輩所作，惟見其不如古人者，雖不敢輕非諸口，而亦未嘗輕是於心也。退而自思人之能者，予操慮持論且然。然予不能之，何以免人無嫉妒之譏乎？年二十四始取韓文讀之，捉筆試爲，持以示人，譬如童子之鬬草，彼能是，予亦能是，彼有是，予亦有是，特爲士林禦侮之一技焉耳」云云，且就正於先生，先生賞其辭而戒之曰云云。案「未嘗輕是於心」，亦文家常語，何必引入？此謂以虛爲實，其文意在何以免人嫉妒之意，以起下不知者感慨。今乃引作實據，此謂以寓言爲正意也。即許衡一段不消認真。

《傳》曰：「或謂世無知燧者，曰豈惟知之，讀而能句、句而得其意者猶寡。燧曰世固有厭空桑而思聞鼓缶者乎，然文章以道爲輕重，道以文章輕重。彼有班孟堅書表古今人物，九品中必以一等〔二六〕置歐陽子，則爲去聖也有級而不遠，其文雖無尹、謝之知，不害於行後。豈有一言幾乎古，而不聞之將來乎？」案「或謂」下又著設爲問答，不知誰指。後又著燧曰，不知是燧自言，是對或問。《序》曰：「純父自言，得予一字隻言不棄而録之。」又言：「世無知公者，豈惟知之，讀而能句，句而能得其意猶寡。嗚呼，世豈厭空桑之瑟而思聞鼓缶者乎？」案語氣，嗚呼下亦是純父語，意帶感慨，今作燧答，非是。且分「世無知燧者」「曰豈惟知之」作問答語，文中有是乎？今人讀之茫然。《序》起手云歐陽子爲一代儒宗，一時所交海内豪儁之士計不十百，而止及謝希深、尹師古者，紀序《集古録》，遂有無尹、謝知音之論。「嗚呼，豈文章也，作者難而知之者尤難與」，故後應之云：「世復有班孟堅者，書表古今人物，九品之中必以一等置歐陽子，則爲去聖賢也有級而不遠，其文雖無尹、謝之知，不害於行後，猶以失之爲悲下，下之外豈別有等置予哉？則爲去聖賢也無級而絶遠。其文如風花之逐水，霜葉之委土，朝夕腐耳，豈有一言之幾乎古、可聞之將來乎？純父獨信之，自予不可不謂之知己，足爲百年之快，恐純父由此而交〔二七〕四海，不知言之非也。」案此文章自有次序，今突出及尹、謝之知，又遺却自身一段，不知所謂何指。此謂前後倒置、散亂不明也。蓋史家欲見燧作文原委，即當采入此《序》，不宜零星掇拾，致此荒謬。

《傳》又云：「燧之學得於許衡，由窮理致知，反躬實踐，爲世名儒。」後云：「每來謁文必廣置燕樂，燧則爲之喜而援筆，否則不易得也。頗恃才，輕視趙孟頫、元明善輩。」此可謂之窮理致知、反躬實踐者乎？其自相矛盾甚矣。至如史天澤、董文炳兩家傳，盡取其家碑銘虚語勦襲成文，猶弗論也。

校勘記

〔一〕「含」，底本作「舍」，據《四庫》本改。
〔二〕此則「夷離堇」，《四庫》本作「額爾欽」。
〔三〕此則「匹敵」，《四庫》本均作「博迪」。
〔四〕「氏」，《四庫》本作「傳」。
〔五〕案：「史記」當作「漢書」。
〔六〕案：「輿」字衍。
〔七〕「諸」，《四庫》本作「去」。
〔八〕「救」，底本作「殺」，據《四庫》本改。
〔九〕「管仲」，底本原無，據《四庫》本補。
〔一〇〕「亦未爲至當」，底本作「未至當亦爲」，據《四庫》本改。
〔一一〕「有」，底本原無，據《四庫》本補。
〔一二〕「侯」，《四庫》本作「某」。
〔一三〕「鞓」，底本作「鞋」，據《四庫》本改。
〔一四〕「蓋舉」至「不耗」，《四庫》本作「即唐太清宮、宋儲祥宮之遺意而增華者也」。

〔一五〕「月乃合贊斷事宜時」，《四庫》本作「雅爾噶協理斷事官事」。下文「月乃合」《四庫》本作「雅爾噶鼐」。

〔一六〕《四庫》本無「數」字。

〔一七〕「下」，底本原無，據《四庫》本補。

〔一八〕「術」，《四庫》本作「曆」。

〔一九〕「僑」，底本作「焚」，據《四庫》本改。

〔二〇〕「王」，底本原無，據《四庫》本補。

〔二一〕「靈」，底本作「平」，據《四庫》本改。

〔二二〕「褽」，底本作「尉」，據《四庫》本改。

〔二三〕「火」，《四庫》本作「大」。

〔二四〕「伊斯」，《四庫》本作「亦思」。

〔二五〕「哈」，《四庫》本作「喀」。

〔二六〕「等」，《四庫》本作「品」。

〔二七〕「交」，《四庫》本作「取」。

湛園札記卷四

《爾雅》：「矢，弛也。注：弛放。弛，易也。注：相延易。」弛、易二字，《漢書》「劍人之所施易」，當作此注。

「唐棣，栘。」注：「江東呼夫栘。」疏：「《詩·召南》云『唐棣之華』，陸璣曰：『奥李也，一名雀梅，前經云：時英梅，注：雀梅，疏：似梅而小也。亦曰車下李，所在山皆有，其華或白或赤，六月中熟，大如李子，可食。』」又「常棣」注：「今關西有棣樹，子如櫻桃可食。」疏：「《詩·小雅》云『常棣之華』，陸璣疏云：『許慎曰白棣樹也，如李而小，如櫻桃而正白，今宅園種之。又有赤棣樹，亦似白棣，葉如刺榆葉而微圓，子正赤如郁李而小，五月熟。』」案，此則唐棣自一種，《召南》所詠是也。常棣與棠棣共爲一種，而又自分赤白二種，《小雅》所詠是也。唐棣實大如李子，棠棣實如櫻桃，唐棣正名郁李，又云奥李，本大如李子，今俗稱大如櫻桃者爲郁李，殊誤。

「檟，苦荼。」注：「樹小如梔子，冬生葉，可煮作羹飲，今呼早采者爲荼，晚取者爲茗，一名荈，蜀人名之苦荼。」案此，茗飲已始於晉時。

「鳥曰狊。」疏：「鳥之張兩翅狊狊然摇動者名狊。」《論語》「三嗅而作」，當作此解。

《宋書》：「張暢愛弟輯，臨終遺命與輯合墳，時論非之。」宋劉翬家娣姒合葬，尤奇。

漢官中有伯使，主爲諸官驅使闢路於道伯中，故言伯使，即伍伯也。

魏司徒崔浩之死，坐國史譏訕，而《宋史》謂拓拔燾南寇汝潁，浩密有異圖，妻弟柳光世要河北義士爲浩應，浩謀洩被誅，當時河東大姓連謀夷滅者甚多。此南北傳聞異辭，亦由當時誅殺狼籍，故疑必坐反謀也。

雷次宗被徵還山，何尚之設祖道，文義之士畢集爲連句，懷文所作尤美，詞高一座。此連句非今聯句，蓋相連唱和爲詩也，不然，不當謂懷文所作尤美。

梁制：光禄大夫皆銀章青綬，加金章紫綬者爲金紫光禄大夫。任遐爲光禄，就王晏乞一片金，乃轉啓爲金紫，不行。

蕭子顯《齊書》最劣，然議論亦有可采者。《祥瑞志》云：「今觀魏晉以來世稱神物不少，而亂多治少，史不絕書。故知來儀在沼，遠非前事，見而不至，未辨其爲祥也。」此與歐公《五代史·天文志》之所論「祥瑞之見，治日少而亂日多」何以異哉？

宋高宗中興，孟太后詔：「獻公之子九人，惟重耳之尚在；漢家之厄十世，宜光武之中興。」時稱名句。梁王僧辨《勸進湘東王表》曰：「軒轅得姓，存者二人。高祖五王，代實居長。」亦典確不磨矣。此《表》純用長聯，開唐宋四六之祖。

安成康王秀，太祖子，爲江州。聞前刺史取徵士陶潛曾孫爲里司，秀歎曰：「陶潛之德豈可不及後世？」即日辟爲西曹，亦南朝佳事也。

宋濂在元至正間授編修，初未嘗辭，其集中有焚黄祭文可考，黄晋卿《神道碑》亦言「明年以門人翰林國史院編修官同郡宋濂之狀至京師，臨川危素銘其神道之碑」云云。

《宋書·禮志》：「舊説後漢有郭虞者，有三女，以三月上辰産二女，上巳産一女，二日之中而三女俱亡，俗以爲大忌。至此月此日不敢止家，皆於東流水上爲祈禳，自爲潔濯，謂之禊祠，分流行觴，遂成曲水。史臣案《周禮》，女巫掌歲時祓除釁浴，如今三月上巳如水上之類是也。釁浴，謂以香薰草藥沐浴也。愚案，香草沐浴非可用之水上，此特借證《周禮》。《韓詩》曰：『鄭國之俗，三月上巳之溱、洧兩水之上，招魂續魄，秉蕳草，拂不祥。』此則其來甚久，非起郭虞之遺風、今世之度水也。《月令》『暮春天子始乘舟』，蔡邕《章句》曰：『陽氣和暖，鮪魚時至，將取以薦寢廟，故因是乘舟禊於名川也。』《論語》『暮春浴乎沂』，自上及下，古有此禮。今三月上巳祓於水濱，蓋出此也。』邕之言然。張衡《南都賦》『祓於陽濱』，又是也。或用秋，《漢書》『八月祓於灞上』，劉楨《魯都賦》『素秋二七，天漢指隅，人胥祓除，國子水嬉』，又是用七月十四日也。自魏以後但用三日，不用巳也。」沈約此段乃是用摯虞、束晳之對，而不載洛水浮觴故事，殊不可解。秋祓特新，從來未經拈出，但所引祓除無關宋事，志禮及此，直是黄車小説耳。

靖難兵至揚州，江都令張本迎降，成祖以滁、泰二知州房吉、田慶成率先歸附，命與本並爲揚州知府，偕見任知府譚友德同涖府事。一時揚州頓有四知府，亦古所未有。

定祥案：原本此下有「樂毅論始末」一則，黄氏已編於《湛園題跋》中，今故不復存此。

今世所傳鍾繇書間有《千文》，嘗疑之。後見宋太宗語參政李至曰：「《千字文》本無籍，梁武帝得鍾繇破碑，愛其書，命周興嗣次韻而成之，俚無足取。」

人知王介甫罷《春秋》進講。案《曲洧舊聞》，熙寧元年冬，介甫初侍經筵，未嘗講説，上欲令介甫講《禮記》，至曾子易簀事，介甫於倉卒間進説曰：「聖人以義制禮，其詳至於牀第之際。」上稱善，安石遂言《禮記》多駁雜，不如講《尚書》帝王之制，人主所宜亟聞也，於是罷《禮記》。然則介甫不獨廢《春秋》講讀，亦罷講《禮記》矣。五經中一時頓去其二，甚哉其侮聖也。

定祥案：原本此下有「題告誓文」一則，亦見《湛園題跋》。

《魏書》：「張天錫字純嘏，一名公純。」而《世説注》引張資《涼州記》曰：「字公純嘏，或謂過江後爲人所笑，減一字。」不應魏收書亦從南朝所稱。若乞伏慕末字安石跋，亦三字，古今亦僅見此二人。

高祖將殺崔暹，世祖救之曰：「我爲舍其命，須與若手。」手即杖也。

鈔鑼，吾鄉名銅面盆爲鈔鑼，見《宋史·禮志》二十二卷「金使辭具〔一〕」，又《外國傳》數見之。

《宋史·馮京傳》論進士由鄉舉至廷試皆第一者纔三人，王曾、宋庠爲名宰相，馮京爲名執政，風流相映，不媿其科名。然《王巖叟傳字彦霖》：「仁宗初置明經科，巖叟十八歲與省試、廷對皆第一。」亦三元也，其忠節亦所稱不媿科名者，而不與是數，亦以進士與明經科之别與？

宋官府宴席極侈，動費數百金。太原帥率用重臣，每宴饗費千金，取諸縣以給，斂諸太谷者尤甚，知縣郭永書牴，幕僚止之。

《宋史·忠義傳》「劉鋭、趙汝曏死節文州」，不數葉重見之《王翊傳》，當時纂述〔二〕之疏如此。

劉貢父博學，古人多被其彈駁，然其所爲《詩話》往往於淺近語多誤用。如曰：「劉子贈人詩云『惠和官尚小，師達禄須干』，取下惠聖之和，師也達，而子張學干禄事。或有除去官字示人，曰此必番僧也，聞者大笑。」案，《論語》是賜也達，誤爲師字，且柳下是姓，不當以下惠連稱。又云：「古人多歌舞飲酒，唐太宗每舞，屬群臣，長沙王亦小舉袖曰：『國小不足以回旋。』」以漢景帝爲唐太宗，蓋誤之遠矣。

《北齊書·幼〔三〕主紀》：「童戲者好以兩手持繩，拂地而脚上跳且唱，曰高末。」今京師元宵前後兒童持繩之戲無處不然，皆齊高餘習也。

井卦坎上巽下，程《傳》取木器之象，木入於水下而上乎水，汲井之象也。案《象辭》：「羸其缾。」缾汲器，文從缶，瓦器也。故朱子曰：「井象只取巽入之義，不取木義。」不知《本義》何故又從程説。厚齋馮氏曰：「韓信以木罌渡師，知罇罍古皆用木，疑古以木爲缾，此象巽木無疑。」不知羸爲毁敗之義，惟瓦故有毁敗。揚雄《酒銘》：「觀瓶之居，居井之湄，一旦叀礙，爲櫜之輴。」故知自漢以前缾皆陶瓦爲之。朱子《本義》有姑從程説而自駁正之者數條，此其一矣。

公羊、穀梁俱受《春秋》於子夏。《公羊解》引戴宏序云：「子夏傳與公羊高，公羊不見字。高傳子平，平傳子地，地傳子敢，敢傳子壽。至漢景帝時壽乃共弟子齊人胡毋子都著於竹帛，與董仲舒皆見於圖讖是也。」楊士勛《穀梁釋》云：「穀梁子名淑字元始，魯人，一名赤。師古云名喜。受經於子夏，傳孫卿，卿傳魯人申公，申公傳博士江翁。其後魯人榮廣大善《穀梁》，又傳蔡千秋。宣帝好《穀梁》，擢千秋爲郎，由是《穀梁》之傳大行於世。」是則公、穀皆受經於子夏，故其言大抵相同，而又有相牴牾者，當是流傳之異。二傳皆是口相傳授，至漢始著竹帛。傳公羊者以爲孔子懼衰世之禍，隱晦其文，故不著竹帛，而學者徒私相授受而已，此何休之妄説也。《漢書·藝文志》亦曰：「有所褒諱貶損，不可書見，口授弟子，弟子退而異言。丘明恐弟子各安其意以失其真，故論本事而作《傳》，明夫子不以空言説經也。《春秋》所貶損當世君臣，有威權勢力，其事實皆形於《傳》，是以隱其書而不宣，所以免時難也。」是説也予未之信。孔子作《春秋》，上紀天時，下明王道，所以正人心而抑邪説也。欲正人心而抑邪説，必昌明其説於天下，而使天下人喻於吾之説，然後可以開其愚蔽而革去其邪心。若徒與其弟子私相授受而已，天下何由知之，知之者獨其弟子，則《春秋》可以不作。善乎杜氏之言曰：「制作之文所以章往考來，情見乎辭，言高則旨遠，辭約則義微。此理之常，非隱之也。聖人包周身之防，既作之後，方復隱諱以避患，非所聞也。」孟子曰：「予豈好辯哉？予不得已也。」又曰：「孔子成《春秋》而亂臣賊子懼。」孟子之好辯，即孔子作《春秋》之意也。使孔子自諱其辯，隱祕其書而不出，亂臣賊子何所見而知懼哉？作《春秋》則禍非所避，欲畏禍則《春秋》不如弗作。懼威權勢力而苟避之，是班氏以小人之心度量君子也。何休因班氏之説，遂誣《春秋》黜周王魯，又曰《春秋》黜杞舊宋而新周，引讖文云：「丘覽史記，援引古圖，推集天變，爲漢帝制法，陳叙圖録。」又云：「公羊五世至漢胡毋生，董仲舒推演其文，世人乃聞此言，去孔子卒後三百歲矣，何不全身之有。」何休之説皆《公羊傳》所未有也，其所云黜周王魯、爲漢制作，豈獨誣《春秋》哉？其爲《公羊》之累亦已甚矣。况其解《傳》不由《傳》意，鑿空立義，辭晦意滯，凡一例而前後矛盾不可通者，難以枚舉。使《春秋》本意若此，學士家猶難於尋覓，彼亂臣賊子非盡讀書知文字者也，欲其一見而知懼，理所必無者矣。愚故謂何氏之從祀不可不廢，而十三經注家惟《公羊傳》不可存也。

二《傳》之不同於《左傳》，非不信，當時實未之見也。仲尼與左丘明同觀史記而作《春秋》，《春秋》之經，綱也，《左傳》其目也。讀三《傳》者必當以左氏爲主。

杜詩《游龍門奉先寺》：「天闕象緯逼。」《天官書》：「天開雲物。」若如諸家議，必改闕字，則不如開字之確。

《天育驃騎歌》：「伊昔太僕張景順，監牧攻駒閱清峻。遂令大奴字天育，别養驥子憐神俊。」注云：「大奴王毛仲，其父坐事没官，生毛仲，隸於玄宗。」案張説《隴右監牧頌德碑》曰：「有霍公之掌政，擇張氏之舊令。」霍公即王毛仲。故景順對曰：

「亦曰帝之福也，仲之力也，臣何力之有焉？」則景順乃毛仲之屬也，何反云「遂令大奴」乎？大奴與驤子對，自是謂其奴耳。且毛仲已封霍公而奴之，有是理乎？

《醉時歌》：「廣文先生官獨冷。」案《唐書·百官志》：「廣文館博士四人，助教二人。」而不言其品數。依國子太學博士正五、正六，則廣文博士當是正七品。又案《食貨志序》：「俸錢各助教二萬。」而博士反止得萬三千，何耶？如此，則廣文先生飯不足果不待言矣。

《新書·選舉志》：「元和二年定生員，廣文六十人，東都廣文十人。」則廣文館至元和猶不廢也。而《新書》云：「久之雨壞廡舍，有司不復修完，寓治國子館，自是遂廢。」廣文館原在國學增置，非以廡壞而寓治，謂「遂廢」更妄。

又《唐書》云：「天寶中國學增置廣文館，以領詞藻之士。」則廣文之設原非特爲鄭虔。而《本傳》云：「帝欲置左右以不事事，更爲置廣文館，以虔爲博士。」皆非實録也。

廣文在國子監，後世郡縣學教職借稱耳，而近世文家竟有以此稱爲文送教諭者，豈不可笑？

「百罰深杯亦不辭。」桑又在江總席上曰：「雖深盞百罰，吾亦不辭也。」韓昌黎詩：「飲酒寧嫌盞底深。」

「外物慕張邴。」注：「謂張良、邴曼容，非張長公。」仕不過五百石，故曰「辭秩豈多滿」，豈張良乎？

《雨過蘇端》。《新書·楊綰傳》謂：「端，憸人也。」論綰醜險不實，貶巴州員外司馬，而竟改綰原謚文貞爲文簡。

「朝回日日」三句。吴孫權姪濟嗜酒，曰：「尋常行坐處，欠人酒緡，欲貫此緼袍償之。」不獨用其辭，兼用其事矣。

《彭衙行》，删韻，兼文真寒元五韻。

《徒步歸行》，此未抵鄜州乞馬於李公而作，當在《北征》詩前，時尚未見妻子也。下二首倣此。

《送李校書》：「何時太夫人，堂上會親戚。汝翁草明光，天子正前席。」父在而母太夫人，亦一故實。

《石壕吏》注：「《寰宇記》：神雀臺在陝州硤石縣東北四十五里石壕鎮。」案，唐先天[四]初置臨汝縣，《舊唐書》注云：「移治石壕驛。」臨汝與洛陽亦不遠，安知公不從此而抵京都耶？

《留花門》，樓鑰《答杜仲高書》：「花門即回鶻也，某嘗考回鶻之俗衣冠皆白，故連屯左輔而百里如積雪然，不既多乎？」以此意讀之，方覺語意精彩頓別。

《同谷縣七歌》：「歲拾橡栗隨狙公。」《莊子・盜跖篇》：「晝拾橡栗，暮棲木上。」

「南有龍兮在山湫。」吴本注：「此篇爲明皇作也。明皇以至德二載至自蜀，居興慶宮，謂之南内，明年改元乾元，時持盈公主往來宮中，李輔國常陰候其隙間之，故上元二年帝遷西内。案，詩題《乾元中寓居同谷》，公纔居同谷而明皇亦始居興慶，安能逆料其然？」案〔五〕史，興慶宮在皇城東南，距京城之東，開元初置，至十四年又增廣之，謂之南内。則南内之名自開元已然，何謂自蜀居之始有此稱耶？龍翔後大明宮謂之東内，而以太極宮爲西内，南内蓋配兩宮而言也，非始於明皇幸蜀之後明矣。又案，持盈侍太上皇見於《李輔國傳》而《本傳》不載，《輔國傳》又載萬安、咸宜二公主視膳西宮，而《本傳》皆略之。惟《楚國公主傳》云：「上皇居西宮，獨主得入侍。」《輔國傳》又不載。但公主入侍與此詩豪不相涉，僅一南字與南内相附會耳。

「我有一匹好東絹。」《唐書·地理志》：「陵州仁壽郡貢鵝溪絹。」東坡詩注：「鵝溪在梓州鹽亭縣，出絹甚良，杜詩云云蓋謂此也。」

《過代國公故宅》。郭公大功在廷諍不受廢立之詔，所謂「定策神龍後」也。《新書》僅載其總兵扈從之一節，失史家體。觀公詩全首，知其用意所在正與燕公所作《行狀》合。又此詩錢箋〔六〕甚謬。案，突厥、吐蕃寇涼州，后方御洛城門宴，邊報遽至，因輟樂拜元振爲涼州都督而遣之。則元振之行自出后意，不得云以宗楚客等之妒而出之也。宗楚客欲召而殺之，其事在後。

「自平宫中吕太一。」《舊唐書》：「廣德元年，宦官市舶使吕太一逐廣南節度使張休縱兵大掠。」是此吕太一也。案，唐尚有一吕太一，爲張嘉貞薦授中書舍人。時語曰：「令君四俊，苗吕崔員。」

樓鑰曰：「『嘉陵江水何所似。』一作山水者，是。蓋嘉陵江至閬州西北折而趨南，復折而趨北，三面皆水，故亦謂之閬中。閬内地勢平闊，江流舒緩，城南正當佳處，對面即錦屏山，蓋山如石黛，水如碧玉，故云『嘉陵山水何所似，石黛碧玉相因依』，其絶唱也。」案，題是分詠閬山、閬水，上是閬山，此章自是單詠閬水。玩下「浪花」、「沙際」、「盪漿」、「含魚」，可見「石黛碧玉」言水色與山光相映耳，不害其爲專詠水也。原作「江水」，宜仍之。

「遲暮堪帷幄，飄零且釣罠。」罠，《選注》：「麋網是也。」雖《説文》亦有釣義，然兩釣義同，且與上帷幄不對。

《古柏行》。田況《古柏記》：「自唐季凋瘁，歷王、孟二國，纛槁尤甚。然以祠中樹，無敢翦伐者。皇朝乾德丁卯歲仲夏，枯柯復生，日益敷茂，觀者歎聳，以爲榮枯之變應時治亂，因命工圖寫以貽好事者。自三分迄今八百餘年矣。」

「鳴玉淒房櫳。」謝惠連詩：「簪玉出北房，鳴金步南階。」

「天寒大羽獵，此物神俱王。」《莊子》：「神雖善，不王也。」〔七〕

《課伐木詩序》：「必昏黑樘突，夔人屋壁。」朱仲晦曰：「夔人正謂夔州人耳，而山谷乃有『黑月虎夔藩』之語。此頌又用躨觸，案躨跜見《魯靈光殿賦》『自爲虬龍，動貌無觸』義，不知山谷何所據也。」愚案謝朓《三日侍宴詩》：「河宗躍蹋，海介夔跜。」對躍蹋，似亦有夔觸之義，但單用未安耳。

《園人送瓜》：「傾筐蒲鴿青，滿眼顔色好。」蒲鴿或是瓜狀青色，然不知何典。

《贈司空王公思禮》。案，思禮代李光弼爲河東節度副大使，上元元年加司空，又二年薨。史曰自武德以來三公不居宰輔，惟思禮而已。則司空乃生前所加，非贈也，公不知何據。

《觀公孫大娘弟子舞劍器行》。樂府曲名有《西河劍器》，又有《醉渾脱》。《樂府雜録》有健舞、軟舞、字舞、花舞、馬舞。健舞曲有棱太、阿連、柘枝、劍器、胡旋、胡騰，軟舞曲有涼州、緑腰、蘇合、香屈、柘團、圓旋、甘州等。案，劍器屬健舞，即其頓挫可知矣。注又曰云云，皆《樂府雜録》此段注。緑腰或作録要，謂録其要者進上耳。

「合昏排鐵騎，清旭散錦幪。」《周禮·司關》注：「勿使冠飾者著墨幪。」錦幪，以錦包頭也。若如錢本〔八〕作錦驝，引《廣韻》「驢子曰驝」，豈有上鐵騎下復贅錦驝者？

韓詩「無因帆江水」，注：「帆去聲。」引杜詩「浦帆晨初發」。案《左傳》，「拔旆投衡」注：「使不帆風，差輕。」帆，凡劍反，謂飽風也。杜詩實誤用。

桓帝末童謡：「城上烏，尾畢逋。公爲吏，子爲徒。一徒死，百乘車。車班班，入河間。河間姹女工數錢，以錢爲室金爲堂。石上慊慊舂黄粱。粱下有懸鼓，我欲擊之丞相怒。」杜詩「慎莫近前丞相嗔」本此，蓋樂府體也。岑嘉州演河間七字爲兩句曰：「邯鄲女兒夜沽酒，對客挑燈誇數錢。」漢人膏馥，爲後人攬取不盡。

「將軍昔著從事衫。」魏孝肅詔百司悉依舊章，不得以務衫從事。務衫即所謂從事衫矣。

「昔者玉珂人，誰是青雲器？」唐制四品得鳴珂，蓋貴官也。

《岳陽風土記》：「赤沙湖在縣南，夏秋水漲與洞庭通，杜子美所謂『殿脚插入赤沙湖』也。」

「畫手看前輩，吴生遠擅場。」宋初修老子廟，廟有吴道子畫壁，官以其壁募人買，有隱士以三百千得之，於是閉門不出者三年，乃以車載壁沉之洛河。

「韋賢初相漢，范叔已歸秦。」豕韋與范同出，故用范叔作對不妨。注稱「韋見素去楊國忠，一如范叔去穰侯」，甚謬妄也。

世傳韓退之屢干執政者，然杜公始入京師，一投張均兄弟，再贈鮮于仲通，二君皆非端士，而窮途不免爲此。士之失志，寧堪問乎？

「難説祝雞翁。」《風俗通》：「呼雞朱朱。俗説雞本朱公化爲之，而今呼雞皆朱朱也。」《説文解字》㗊㗊二口爲讙，州其聲也，讀若祝，祝者，誘致禽畜，和〔九〕順之意。㗊與朱音相似耳。竇公答魏胡太后「把粟與雞呼朱朱」，後太后果爲爾朱榮所害。則朱讀又當如字。

「天老書題目。」《周禮・占夢》疏「堪輿天老」云云。

「家書萬金」，以「烽火三月」也，後人遂以萬金爲故實矣。

「驥子春猶隔。」裴宣明子景鸞、景鴻並有逸才，河東呼景鸞驥子、景鴻龍文。公名子以此。

「宫中每出歸東省，會送夔龍集鳳池。」箋曰：「政事堂在東省，屬門下。至中宗時裴炎以中書令執政事筆，故徙政事於中書省，則堂在右省也。杜甫爲左拾遺，其詩所謂『鳳池』者，中書也。左省官方自宫中退朝而出，則歸東省者以本省言也。又送夔龍於鳳池，殆左省堂集政事堂白六押事耶？杜爲拾遺時而政事堂已在中書，故出東省而集於西省者，就政事見宰相也，爲其官於東省而越至西省，故《文昌録》於此闕疑。」案，裴炎以侍中遷中書令，故徙政事堂於中書省，後張説又改政事堂爲中書門下。

《文昌雜録》云：「鳳池在中書省。」杜詩不應有誤，恐唐朝别有故事，且恐是時政事堂適在右省耳。

《大明宫》。則天長安元年改含元宫爲大明宫。

《送翰林張司馬南海勒碑》。案《唐書·吕向傳》：「向進左補闕，帝自爲文勒石西嶽，詔向爲鐫勒使，此雖權設，亦以士人爲之也。」箋曰或待詔鐫刻之流，若是雜流，公不宜作詩送之。

「退朝花底散。」箋引晦庵云：「唐殿庭閒種花柳，故杜詩云云。本朝惟樹槐楸，鬱然有嚴毅氣象。」案，晦庵之説又見之《文昌雜録》，北宋人語也。

《送許八拾遺歸江寧覲省》。《唐書·齊澣傳》：「潤州北距瓜步，沙尾紆匯六十里，舟多敗溺。澣從漕路由京口埭治伊婁渠以達揚子，歲無覆舟。」此開元二十二年事，送許在天寶中，故得云「京口渡江航」矣。京口渡自晉宋間已有之，至齊始定渡京口。

「壽酒賽城隍。」《北史》：「慕容儼守郢州，城中先有祠一所，俗號城隍神。」此城隍神始見史傳者。定祥案：《北史》以下云云，已見卷一。惟此是引以證杜詩，故仍存之。

「魚海路常難。」《唐·李國臣傳》：「以折衝從收魚海三城。」

《寓目》：「一縣蒲萄熟，秋山苜蓿多。」蒲萄、苜蓿皆來自西戎，故題云「寓目」，寄慨深矣。

《山寺》。《西域傳》：「康者一曰薩末鞬，亦曰颯秣建。貞觀時歲入貢金桃、銀桃，詔令植苑中。」「懸崖」，《方輿勝覽》「麥積山在秦州東南百里」云云。案庾信有《麥積崖佛龕銘》，所謂「鳥道乍窮，羊腸或斷」者也。但言是大都督李允信於壁之南崖梯雲鑿道，不言先有瑞應寺。

「烏麻蒸績曬。」箋引《本草》：「胡麻生中原山谷。《南都賦》『其原野則有桑漆麻紵』。」案，胡麻即巨勝可服食者。《南都賦注》：「紵，麻屬。」不聞桑麻之麻可以蒸曬服食。

「細雨魚兒出」正與「驟雨落河魚」相對看。魚逢細雨則群食於水面，驟雨而大則反落也。

樓鑰曰：「嘗與蜀黃文叔裳食花榫，因問蜀中有此乎。曰此物甚多，正出閬州。杜詩所謂『黃知橘柚來』，誤矣。曾親到蒼谿縣順流而下，兩岸黃色照耀直似橘柚，其實乃此榫也。問之土人，云工部既誤，有好事者欲爲解嘲，於其處大種橘柚，終非土宜，無一活者。」

「畢景羨沖融。」《南史》：「殷臻幼有名行，袁粲、褚彦回並賞異之。每造二公之席，輒清言畢景。」《北齊書·王晞傳》亦曰：「畢景聽還。」薛道衡：「立春纔七日，離家已二年。」此云「春歸客未還」，亦縮字之法。

《世説》：「西域道人謂司馬國寶，人面而獸心。」杜正用其語，惟人面獸心不可測，故曰「薄俗防人面」。「馬蹄」是莊子養生之旨，故云。

「日斜魚更食。」食字新。然見《鶡冠子》，云：「江湖渺然，游魚黯然，忽見波明食動，幸賜於天。」

「昆吾御宿自逶迤。」漢水衡都尉有御羞令丞，注：「御羞，地名，多出御物可進者。《揚雄傳》謂之御宿。」《元后傳》：「夏游籞宿鄠杜之間。」師古曰：「籞宿苑在長安城南，今之御宿川是也。」此則復名籞宿矣，籞與御同。

「凡百慎交綏。」疏：「舊説綏部也，李衛公曰綏六轡總也。」案，綏訓轡爲是，《禮》親迎有授綏之禮。

「一辭故國十經秋，每見秋瓜憶故侯。」因瓜州相映帶，故以秋瓜起興，此正文情游戲、天機爛漫處。箋欲改爲「袁州」，則與上秋瓜何涉。

「地下無朝燭，人間有賜金。」朝燭只如《禮》所謂手燭，地燭即庭燎也，早朝所用。注用始皇人魚膏，無涉，且不宜以亡秦比天寶。

「畢耀仍傳舊小詩」，「畢耀」不見注。酷吏《敬羽傳》：「羽與毛若虛、裴昪、畢曜同時皆暴忍，時稱毛敬裴畢。未幾昪、曜流黔中。」曜正肅宗時人，耀即俗曜字，又見《喬琳傳》，曾爲郭子儀書記，顔魯公書碑陰亦列其名。

「一生自獵知無敵。」庾信詩：「野鶴能自獵，江鷗解獨飛。」

陸放翁《野飯詩》：「可憐城南杜，零落依澗曲。面餘作詩瘦，趨拜尚不俗。」自注：「杜氏自譜以爲，子美下峽留一子守浣花舊業，其後避成都亂，徙眉州大埡，或徙大蓬云。」

「江深劉備城。」《岳陽風土記》：「劉備既與肅畫湘爲界，遂築地烏沙鎮對壘，在州北六十里，俗謂之金門劉備城。」

「蘂蘂自開春。」「蘂蘂」出《文選》。

或謂杜七律必諧四聲，惟「老去詩篇渾漫興」，興字去聲重出。《千家詩》作「漫與」，是。予案荆公詩「粉墨空多真漫與」，子瞻詩「詩篇真漫與」，亦用此也。然謂杜律必諧四聲，考之全集則未確。

東坡曰：「司空表聖自論其詩，以爲得味外味，如『棊聲花院閉，幡影石壇高』。吾獨游五老峰入白鶴觀，松陰滿地不見一人，惟聞棊聲，然後知此詩之工也。但恨其寒儉有僧態。若杜子美云『暗飛螢自照，水宿鳥相呼』，『四更山吐月，殘夜水明樓』，則才力富健，去表聖之徒甚遠矣。」然朱晦庵以「暗飛螢自照」語自是巧，不如韋蘇州之「寒雨暗深更，流螢度高閣」此景爲可想，但則是自在説了。會此三説，可見詩家身分當作三層看，蘇與司空尚是就詩論詩，晦庵則於詩外別有見解也。

「遮莫鄰雞下五更。」「遮莫」，舊注：「俚語，猶言儘教也。」案《傳信記》：唐鄭棨著。「劉朝霞獻明皇《幸温泉詞》：『直攫得盤古髓，掐得女媧瓤。遮莫你古時千帝，豈如我今日三郎？』」此是俳諧，正合俗語。

《送裴二虬作尉永嘉》。韓集《河南少尹張君墓誌文》：「虬以有氣略，敢諫諍，爲諫議大夫。」朱注歐陽公《跋怡亭銘》：「虬代宗時爲道州刺史。此文云爲諫議大夫，不云爲道州刺史，唐史亦不見其事，歐陽公豈得之怡亭銘耶？」予案《蘆浦筆記》云：「唐賢題名有河東裴虯爲道州刺史，杜詩有《送裴二虯作尉永嘉詩》。」則歐陽之説自有據，不專得之怡亭銘也。

子美喜用「所」字。如「朱夏熟所膺」，「將老委所窮」，「使臣精所擇」，「逆節同所歸」，「飄風争所操」，「晝地求所歷」，「日出甘所終」，「紀綱正〔一〇〕所持」，「久客慎所觸」，「師伯集所使」，「懷抱罄所宣」，「氣酣達所爲」，「名賢慎所出」，「筆札枉所申」，「朝廷悲所遺」，「死鹿力所窮」，「夾輔待所致」，多晦滞不可解，亦文字之病。

《台州志》：「鄭虔字若齊，謫台州司户。台人初見虔衣冠言動，嫌之，時爲之語曰：『一州人怪鄭若齊，鄭若齊怪一州人。』虔嘗作詩自歎云：『著作無功千里竄，形骸違俗一州嫌。』遂選民間子弟教之，有林元籍等從之游，終於台，世爲台人，孫瓘爲協律。虔詩不傳，此二句僅見於此，故存之。

《桃竹杖》。案戴愷之《竹譜》「篠簩桃枝」，注云：「桃枝皮赤，編之滑勁，可以爲席。」《顧命篇》所謂篾席者也。《爾雅・釋草》云：「四寸一節爲桃枝。」予之所見桃枝竹節，短者不兼寸，長者或踰尺，恐《爾雅》所載草族自有桃枝，不必是竹。《山海經》云：「其木有桃枝、劍端。」又《廣志・層木篇》云：「桃枝出朱提郡，曹爽所用者也。」詳察其形，宛近於竹，但未詳《爾雅》所云復是何桃枝耳。《經》、《雅》所説二族，決非作席者也。」

「幾年逢熟食。」秦人以冷食爲熟食，以將禁火先具饔飧也。齊人呼爲冷節。見《潛確類書》，未查出處。案，白樂天詩「留餳和冷食」，即杜熟食也。張籍亦云：「廊〔一一〕下御厨分冷食。」

《秦州詩》：「士苦形骸黑，旌疏鳥獸稀。」鳥獸即畫熊隼之類，士苦則形骸自黑，旌疏則鳥獸自稀。鳥獸稀猶云「天吴紫鳳，顛倒短褐」也。

「小摘爲情親。」謝靈運《永嘉記》：「百卉正發時，聊以小摘供日。」

《野望因過常少仙》，詩中不見尉意，安知非是人名？若稱尉爲少仙，古人無此牽强文義。又曰「幽人」，非尉可知。

《本紀》：「肅宗寶應元年，盜發敬陵、惠陵。」則金盌之出人間，自是實事。箋曰：「騣騣有發掘之虞。」亦疏矣。

「太后當朝肅，多才接迹昇。」公以祖故，常屈筆於武后，予所不服。

定祥案：《潛邱劄記》論《錢箋杜詩》二十則，多采先生説，惟以上三則此編原本所無，今爲補入。

校勘記

〔一〕「具」，《四庫》本作「儀」。

〔二〕「述」，《四庫》本作「修」。

〔三〕「幼」，底本作「後」，據《四庫》本改。

〔四〕「先天」，底本作「天寶」，據《四庫》本改。

〔五〕「案」，底本無此字，據《四庫》本補。

〔六〕「錢箋」，《四庫》本作「箋注」。

〔七〕「神雖善不王也」，語出《莊子·養生主》，原作「神雖王不善也」，參王孝魚點校中華書局本《莊子集釋》。

〔八〕「錢本」，《四庫》本作「箋注」。

〔九〕「和」，《四庫》本作「化」。

〔一〇〕「正」，底本作「王」，據《四庫》本改。

〔一一〕「廊」，底本作「厨」，據《四庫》本改。

藝　文　叢　刊

第　六　輯

093	衍　極	〔元〕鄭　杓
		〔元〕劉有定
094	醉古堂劍掃	〔明〕陸紹珩
095	獨鹿山房詩稿	〔清〕馮　銓
096	四王畫論（上）	〔清〕王時敏
		王　鑑
		王　翬
		王原祁
097	四王畫論（下）	〔清〕王時敏
		王　鑑
		王　翬
		王原祁
098	**湛園題跋　湛園札記**	**〔清〕姜宸英**
099	書法正宗	〔清〕蔣　和
100	庚子秋詞	〔清〕王鵬運
101	三虞堂書畫目	〔清〕完顏景賢
	麓雲樓書畫記略	〔清〕汪士元
102	清道人題跋	〔清〕李瑞清
	願夏廬題跋	胡小石
103	畫學講義	金紹城
104	寒柯堂宋詩集聯	余紹宋